Colleen Ramsey

BYWYD A BWYD

ENJOYING LIFE THROUGH FOOD

Argraffiad cyntaf: 2022

Dymuna'r cyhoeddwyr gydnabod cymorth ariannol
Cyngor Llyfrau Cymru

Diolch i Barn Media

Lluniau'r clawr: Glyn Rainer
Cynllun y clawr: Jo Hollowood
Gwaith celf: Julie Rowlands

Rhif Llyfr Rhyngwladol: 978 180099 330 3

Cyhoeddwyd, rhwymwyd ac argraffwyd yng Nghymru gan
Y Lolfa Cyf., Talybont, Ceredigion SY24 5HE
gwefan www.ylolfa.com
e-bost ylolfa@ylolfa.com
ffôn 01970 832 304
ffacs 832 782

First impression: 2022

The publishers wish to acknowledge the support of
Cyngor Llyfrau Cymru

Thank-you to Barn Media

Cover photographs: Glyn Rainer
Cover design: Jo Hollowood
Paintings: Julie Rowlands

ISBN: 978 180099 330 3

Published and printed in Wales by
Y Lolfa Cyf., Talybont, Ceredigion SY24 5HE
website www.ylolfa.com
e-mail ylolfa@ylolfa.com
tel 01970 832 304
fax 832 782

Bywyd a bwyd!

Enjoying life through food!

I fy nheulu, dwi'n fythol ddiolchgar am eu cefnogaeth.

I fy ngŵr a fy nhri o fechgyn – dwi wrth fy modd yn coginio i chi. Bob dydd, rydych chi'n fy atgoffa i beth yw pwrpas bywyd.

I Sara am ei thalent arbennig i ddod â phobol yn fyw! Fyddai dim llyfr heb ei hamser a'i hymdrech hi, diolch o galon.

Diolch yn fawr

xxXxx

To my family whose support I am so grateful for always.

To my husband and three boys who I love cooking for and who remind me each day what life is all about.

To Sara who has a special talent for bringing out the spark in people! There would be no book without your time and effort, diolch o galon.

Thank you all

xxXxx

Cynnwys

Cynllunio

Y penwythnos

Yr Eidal

Dim gwastraff

Cinio i un

Bwyd ffansi pants

Contents

Getting ahead

The weekend

Italy

No waste

Lunch for one

Fancy pants food

Bywyd a bwyd!

Petaech chi'n gofyn i lond stafell o bobol beth sy'n eu gwneud nhw'n hapus, fe fyddech chi'n cael llond plât o atebion gwahanol ac fe fyddai yna rai sydd heb benderfynu eto. Bwyd sy'n fy ngwneud i'n hapus. Dwi ddim yn golygu hynny mewn ffordd farus. Dwi'n ymwybodol iawn bod yna bobol dros y byd ac ym Mhrydain sy'n ei chael hi'n anodd bwydo eu hunain a'u teuluoedd. Ond dwi wrth fy modd gyda diwylliant bwyd a sut mae'n dod â phobol at ei gilydd – wrth basio'r tatws rhost o gwmpas y bwrdd gyda'r teulu ar ddydd Sul neu wrth fwynhau barbeciw gyda ffrindiau yn yr haf. Y teimlad ry'ch chi'n ei gael pan chi'n cael pleser mewn claddu tarten falau sy'n dal i flasu fel yr un oedd Mam-gu yn arfer wneud. I fi, bwyd yw bywyd a bywyd yw bwyd – maen nhw'n mynd law yn llaw mewn amseroedd hapus. Dwi'n meddwl am fwyd trwy'r amser a sut alla i fod yn greadigol. Dyna sut dwi'n dangos gofal a chariad at y bobol dwi'n eu caru fwyaf. Dim bwyd ffansi sy'n bwysig i fi, ond y ffordd mae bwyd yn gwneud i chi deimlo. Mae bywyd yn fyr ac yn werthfawr ac mae'n bwysig ein bod ni'n ffeindio rhywbeth sy'n ein gwneud ni'n hapus. Mae coginio, creu a rhannu bwyd yn dod â llawenydd i fi. Rhaid byw yn y presennol a dod o hyd i hapusrwydd yng nghanol yr annibendod.

Mwynhewch bob munud.

Colleen Ramsey

Rhagfyr 2022

Enjoying life through food!

If you ask a room full of people what makes them happy you will get a load of different responses and some who haven't figured it out yet. For me food makes me happy. I don't mean this in a greedy way; I am well aware of the people across the world and in the UK who struggle to eat or to feed their families. But the culture of food and how it brings people together – passing the roast potatoes around the table on a Sunday with your family or hanging out having a barbecue in the summer with friends. The feelings that come when you indulge in that apple pie that still tastes how Nan made it. For me food is life and life is food – they go hand in hand in all of the happiest moments. Food is what I think about constantly and how I am able to be creative. It's how I share my affection and show my love for people I hold dear. It's not about fancy food, it's about the way the food makes you feel. Life is short and precious and we absolutely must find what makes us happy. Cooking, creating and sharing food brings me joy. Live in the present and find your joy in the chaos.

Enjoy every minute.

Colleen Ramsey

December 2022

Cynllunio

Getting ahead

Ragu

Wrth dyfu lan roedd hwn yn ffefryn mawr. Dwi wedi gwneud ragu mewn llawer o ffyrdd gwahanol, ond mae'r rysáit hon yn syml ac mae'r gwahanol flasau yn dod at ei gilydd yn fendigedig yn y ffwrn. Mae'n gwneud batsh anferth, yn barod i fwydo llond tîm pêl-droed o gegau newynog. Mae'r ragu hefyd yn berffaith ar gyfer ei storio yn y rhewgell a'i droi yn wahanol brydau, fel yr enchiladas, y pei bwthyn a'r nachos yn y llyfr hwn. Mae'n gyfoethog, yn llawn cig, yn iachus a chysurlon. Mae bach o ymdrech, amser a chariad yn talu ffordd.

Fe allwch goginio hwn ar gyfer mwy nag un pryd er mwyn bwyta peth a rhewi'r gweddill.

4 ciwb o stoc cig eidion
1 litr o ddŵr berw
1500g o fins cig eidion
1500g o fins cig moch
Olew i ffrio
Halen a phupur
3 moronen
3 choesyn seleri
3 wynwnsyn gwyn mawr
2 lwy fwrdd o biwrî tomato
Glased mawr o win coch
1 jar 690g o *passata*
1 llwy fwrdd o siwgr
Deilen lawryf

Cymysgwch y ciwbiau stoc gyda 1 litr o ddŵr berw a'u rhoi o'r neilltu.

Cymysgwch y mins cig eidion a chig moch gyda'i gilydd nes eu bod wedi'u cyfuno'n dda. Ffrïwch nhw mewn sosban fawr gydag ychydig o olew a halen a phupur fesul 4 tamaid gan frownio a charameleiddio'r cig. Rhowch y cig wedi'i frownio yn y stoc tra eich bod yn ffrio'r tamaid nesaf.

Pan fydd y cyfan wedi brownio ac yn gorffwys yn braf yn y bath stoc, defnyddiwch yr un sosban i ffrio'r moron, y seleri a'r wynwns, wedi eu torri'n fân, mewn ychydig bach mwy o olew. Ffrïwch y rhain ar wres canolig i isel am tua 10–15 munud a sesno gyda halen a phupur.

Pan fydd y llysiau wedi meddalu, gwasgwch 2 lwy fwrdd o biwrî tomato i mewn a'u coginio am tua munud. Codwch y gwres yn uchel ac arllwys y gwin i mewn. Defnyddiwch y gwin i grafu'r blasau bendigedig o waelod y sosban.

Nôl mewn â'r cig a'r stoc, a hefyd y *passata*, y siwgr a phinsiad da o halen. Rhowch y ddeilen lawryf i mewn, rhoi'r caead ar ben y sosban a'i rhoi mewn ffwrn 160°C Ffan am 4 awr. Neu, defnyddiwch y ffwrn araf am 6–7 awr. Pan fydd yr amser ar ben defnyddiwch stwnsiwr tatws i stwnsio'r cig yn ddarnau mân. Gweinwch gyda'ch hoff fath o basta. Dwi'n argymell *rigatoni* am ei fod yn dal siâp y cig yn dda.

Ragu

Growing up, this was always a winner. I have made ragu so many ways, but this one is stripped back and all the flavours come together beautifully in the oven. This makes a huge batch, ready to feed a team of hungry mouths and also perfect for storing in the freezer and for turning into loads of different meals, like the enchiladas, cottage pie and nachos in this book. It's rich and meaty and wholesomely comforting. A little bit of effort, time and love can really pay off.

Mix the stock cubes with 1 litre of boiling water and set aside near the hob.

Mix the beef and pork mince together until they are well combined. Fry off in a large saucepan with a little oil and salt and pepper in 4 batches, getting a nice bit of colour and caramelisation on the meat. Place the browned meat into the stock while you fry the next batch.

When it's all browned and nicely resting in the stock bath use the same saucepan to fry the finely diced carrots, celery and onion with a little more oil. Fry these on a medium to low heat for around 10–15 minutes and season with salt and pepper. When the veg is nicely softened squeeze in 2 tablespoons of tomato purée and cook it out for about a minute. Raise the temperature to high and pour in the wine. Use the wine to scratch all the beautiful flavours from the bottom of the pan.

Back in with the meat and stock, also the passata, sugar and a large pinch of salt. Put a bay leaf in, pop the lid on and place in the oven at 160°C Fan for 4 hours. Alternatively you can use a slow cooker for 6–7 hours. When this time is up use a potato masher to mash the meat down into small pieces. Serve with whatever pasta you like – I recommend rigatoni as it holds the sauce nicely.

Big batch cook. Some for now and some for freezing.

4 beef stock cubes

1 litre of boiling water

1500g of beef mince

1500g of pork mince

Oil for frying

Salt & pepper

3 carrots

3 celery stalks

3 large white onions

2 tbsp of tomato purée

Large glass of red wine

1 690g jar of passata

1 tbsp of sugar

Bay leaf

Pei bwthyn gyda stwnsh dwbwl

Mae pawb yn hoff o flasau cysurlon pei bwthyn. Pan oeddwn i'n byw dramor roedd bwyta bwyd fel hyn yn help pan oeddwn i'n hiraethu am Gymru ac am fy nheulu. Unwaith, fe wnes i goginio gormod o datws a dyna pryd wnes i feddwl, hmmmm, beth am roi stwnsh ar y gwaelod ac ar y top? O'n i heb weld hyn yn unman arall! Creadigaeth unigryw Colleen Ramsey! Caws, cig eidion a dos ddwbl o garbohidrad – nefoedd ar y ddaear! Gobeithio byddwch chi'n ei fwynhau gymaint â fi!

Digon i 6-8

1kg o fins cig eidion

Olew

750ml o ddŵr berw

3 ciwb stoc cig eidion

2 winwnsyn mawr

2 goesyn seleri

3 moronen

Deilen lawryf

Halen a phupur

2 lwy fwrdd o fenyn

2 lwy fwrdd o fflŵr

1 llwy fwrdd o hylif brownio grefi

1 bag o datws Maris Piper

250g o fenyn hallt

180ml o laeth

200g o gaws Cheddar

Mewn sosban fawr, ffrïwch y mins mewn olew, mewn tair rhan a'u gosod o'r neilltu. Chwisgiwch 3 ciwb o stoc gyda'r dŵr berw neu defnyddiwch stoc cig eidion cartre. Mewn sosban arall ffrïwch y winwns wedi eu torri'n fân, y seleri a'r moron mewn bach o olew a llwyaid o fenyn gyda'r ddeilen lawryf. Sesnwch gyda halen a phupur. Pan mae'r llysiau yn feddal rhowch nhw o'r neilltu gyda'r mins. Yn yr un sosban, toddwch y menyn gyda'r fflŵr a chwisgio. Coginiwch am 1 munud dros wres isel, yna ychwanegwch y stoc, un llwyaid fawr ar y tro. Daliwch ati nes bod y grefi yn drwchus. Ychwanegwch y mins a'r llysiau a bach o hylif brownio (tua 1 llwy de), a'i roi o'r neilltu.

Rhowch y tatws wedi eu chwarteru mewn sosban o ddŵr hallt gyda chlawr ar ei phen a'u coginio am rhyw 15-20 munud nes eu bod yn feddal. Draeniwch y tatws a'u gwthio trwy ridyll neu wasgwr tatws tan eu bod yn llyfn a heb lympiau. Ychwanegwch becyn o fenyn, 3 llond llaw o gaws Cheddar a digon o laeth i greu stwnsh perffaith. Sesnwch gyda halen a phupur.

Rhannwch y stwnsh yn ddau. Rhowch y rhan gyntaf ar waelod y tun, rhowch y llenwad mins a'r llysiau ar ei ben ac yna ail ran y stwnsh. Rhowch bach o gaws ar ben y tatws a rhoi'r pei yn y ffwrn ar 180°C am 40 munud.

Gadewch y pei i orffwys am 20 munud cyn ei gweini gyda llysiau gwyrdd.

Cottage pie with double mash

Who doesn't like the comforting flavours of cottage pie? I rekindled my love of these homely comfort foods to ease my homesickness when I lived abroad and to remind me of Wales and family. Once, I simply made too much mashed potato and had an eureka moment to make the cottage pie with mash on the bottom and the top. Something I must admit I haven't seen anywhere else! An original Colleen Ramsey invention! Cheesy, beefy, overindulgent double carbohydrate heaven! Hope you like it as much as I do!

In a large saucepan fry your minced beef in a little oil in 3 batches until nicely browned and then set aside. Whisk 3 beef stock cubes with 750ml of boiling water or use homemade beef stock. In the same saucepan fry your finely diced onion, celery and carrot in a little more oil and a knob of butter along with a bay leaf. Season well. When the veg is soft set aside with the beef. In the same saucepan melt your butter and then your flour and whisk. Cook for 1 minute over a low heat and then gradually add your beef stock, ladle by ladle. Keep whisking until your beef stock is all combined and you have a thick meat sauce/gravy. Add your veg and your beef and a little gravy browning (about 1 tablespoon) to create a rich brown colour. Set this aside.

Meanwhile add your peeled and quartered potatoes to salted water, with the lid on, and cook for 15 20 minutes or until soft all the way through. Drain and use a sieve or a potato press to push the potatoes through so they are super fine and lump-free. Add a packet of butter, 3 handfuls of Cheddar cheese and enough full fat milk to create a nice consistency, and season these to taste.

Divide the mash into two batches. Spread the first batch onto the bottom of your oven tray, top with the cottage pie beef filling and top with the second amount of mash. Finish with a little bit of cheese and then place in the oven at 180°C for 40 minutes. Allow to rest for 20 minutes and then slice and serve with some nice greens.

Serves 6-8

1kg of minced beef
Oil
750ml of boiling water
3 beef stock cubes
2 large onions
2 celery stalks
3 carrots
Bay leaf
Salt & pepper
2 tbsp of butter
2 tbsp of flour
1 tbsp of gravy browning
1 bag of Maris Piper potatoes
250g of salted butter
180ml of milk
100g of mature Cheddar cheese

Stoc

Esgyrn cyw iâr sydd dros ben

Pilion llysiau sydd dros ben ar ôl cinio dydd Sul gydag ychydig o fadarch sych

3 deilen lawryf

***Bouquet garni* wedi ei wneud o unrhyw berlysiau o'ch dewis chi – mae saets, teim a rhosmari yn gweithio'n dda**

2 lwy fwrdd o halen

Llond llaw o rawn pupur du

Rhowch nhw mewn sosban fawr gyda 3 deilen lawryf, *bouquet garni*, 2 lwy fwrdd o halen a llond llaw o rawn pupur du. Gorchuddiwch nhw'n llwyr gyda dŵr oer a'i ferwi. Gadewch iddo fudferwi am 4–5 awr. Fe allwch ddefnyddio llwy i dynnu'r braster oddi ar y top os y'ch chi moyn.

Rhowch y cyfan trwy ridyll (gwnewch hyn ddwywaith o leiaf er mwyn cael stoc glân). Unwaith iddo oeri fe fydd yn barod i'w ddefnyddio neu ei rewi a'i ddefnyddio yn syth o'r rhewgell fel 'ciwbiau stoc'.

Os nad oes cig yn weddill 'da chi, fe allwch chi wneud stoc blasus eich hun gan ddefnyddio adenydd cyw iâr gyda charcas o siop y cigydd. Rhostiwch nhw mewn ffwrn 180°C am 45 munud.

Os nad oes pilion 'da chi, defnyddiwch gwpwl o foron, seleri a wynwns gwyn (cadwch y croen ar y wynwns ar gyfer y lliw).

Rhowch y llysiau dros ben mewn tun pobi gydag esgyrn y cyw iâr a'u rhostio am awr. Fe fydd hyn yn ychwanegu lliw hyfryd i'r stoc.

Stock

Leftover roast chicken bones

Leftover veg peelings from a roast along with some dried mushrooms

3 bay leaves

Bouquet garni made up of any herbs you like – dried sage, rosemary and thyme work nicely

2 tbsp of salt

A handful of peppercorns

Put into a large saucepan with 3 bay leaves, the bouquet garni, 2 tablespoons of salt and a handful of peppercorns. Cover completely with cold water and put on to boil. Simmer for 4–5 hours. You can skim off the fat from the top if you like.

Put through a sieve (do this at least twice to make it a nice clean stock). Chill it down and it's ready to use or freeze and be used straight from the freezer as 'stock cubes'.

If you don't have any leftovers, you can make great stock from scratch using chicken wings and some carcasses from the butcher's. Roast in an oven at 180°C for about 45 minutes.

If you don't have leftover veg a couple of roughly cut carrots, celery and white onions (keep the skin on the onions for colour).

Put the leftover veg into the roasting tray with the chicken bones and roast for 1 hour. This adds a beautiful colour to the stock.

Stoc
Stoc
Stoc

Y penwythnos
~
The weekend

Tatws Tad-cu

Dad yw'r gorau. Mae Dad yn falch iawn o'i datws rhost ac fe ddylai e fod hefyd. Mae pob cam yn syml ond yn bwysig iawn i greu taten rost feddal a chrensiog! Mae cinio dydd Sul yn haws pan mae pawb yn helpu a dyma gyfraniad Dad, ac mae e wedi ei feistroli. Dwi erioed wedi cael taten rost wael! Os oes amser 'da chi i rostio'r esgyrn ar gyfer y braster mae'n werth ei wneud achos – esgyrn Dafydd! – mae'n mynd â'r rysáit hon i lefel arall! Trïwch e!

Digon i 7-8

750g o fraster cig eidion/gŵydd

Bag o datws Maris Piper

Halen a phupur

Fflŵr plaen

Cynheswch y braster cig eidion mewn tun rhostio mawr mewn ffwrn boeth ar 200°C.

Rhowch sosban o ddŵr i ferwi gyda llond llwy fwrdd o halen.

Pliciwch y tatws (dewiswch y rhai mwyaf yn y bag). Os y'n nhw'n rhai mawr torrwch nhw'n chwarteri, ac os y'n nhw'n ganolig eu maint torrwch nhw'n eu hanner. Berwch y tatws heb gaead am 10 munud. Tynnwch nhw oddi ar y gwres a'u draenio gyda cholandr.

Tip* Mae dŵr y tatws yn grêt ar gyfer gwneud grefi a sawsiau. Gadewch i'r tatws stemio yn y colandr am ychydig funudau er mwyn sychu'n iawn.

Rhowch bob taten ar fwrdd torri a'i phricio gyda fforc. Sesnwch ychydig o fflŵr plaen gyda halen a phupur a'i ridyllu dros y tatws nes bod haenen ysgafn o fflŵr drostyn nhw.

Tynnwch y braster o'r ffwrn, ac yn ofalus, rhowch un daten yn y tun i weld a yw'r braster yn ddigon poeth. Fe ddylai ffrwtian yn braf wrth i'r daten fynd i mewn – os nad yw'n gwneud hynny rhowch y tun yn ôl yn y ffwrn am 5–10 munud arall.

Rhowch y tatws i gyd yn ofalus yn y braster poeth a'u rhoi'n ôl yn y ffwrn am 30 munud – trowch nhw hanner ffordd trwy'r amser coginio. Gwyliwch nhw ac os y'ch chi eisiau, rhowch 'shigl' fach iddyn nhw, fel mae Dad yn ei alw, bob hyn a hyn i dasgu braster poeth dros ben y tatws.

Rowlie's roasties

Dad does it best. My dad takes pride in his roast potatoes and for good reasons. All the steps are simple and yet so important in creating a fluffy and crisp roast potato! Sunday roast is made easier when everyone gets stuck in and this has been my dad's job, which he has mastered. Never had a bad roastie! If you have time to roast the bones for the dripping it really does elevate this recipe to a different level, no bones about it! Give them a try!

Serves 7-8

750g of beef dripping/goose fat

Bag of Maris Piper potatoes

Salt & pepper

Plain flour

Heat the beef dripping in a large roasting tray in a hot 200°C fan oven.

Put a large pan of water on to boil with a tablespoon of salt.

Peel your potatoes (choose the largest ones in the bag). If they are large cut into quarters and if they are medium sized cut in half. Boil with the lid off for 10 minutes. Remove and drain with a colander.

Tip* The potato water is great for making gravy and sauces.
Allow the potatoes to dry steam in the colander for a few minutes.

Place each potato on a chopping board and score them all over with a fork. Season some plain flour with salt and pepper and sieve over the potatoes until they are lightly dusted.

Remove the fat from the oven and carefully place a potato in to see if the fat is hot enough. It should sizzle with delight as the potato goes in – if not put it back in the oven for another 5–10 minutes.

Place all the potatoes carefully into the hot fat and back in the oven for 30 minutes – turn them half way through. Watch them and if you like, every now and then give them a little 'shiggle' as Dad calls it, to splash the tops with the hot fat.

Tarten afal Mam-gu

Un o'r ychydig bethau dwi'n ddifaru yw peidio gofyn i Mam-gu, 'Nanny Coo Coo' fel o'n i'n ei galw hi, am rysáit ei tharten afal fendigedig. Yn ôl Mam, roedd hi'n defnyddio fflŵr codi, plât yn lle tun pobi a thomen anghyfreithlon, bron, o siwgr. Roedd hi'n torri'r rheolau i gyd ac eto, dyma'r darten afal orau erioed! Mae cadw ryseitiau, hyd yn oed os y'n nhw wedi cael eu haddasu, yn bwysig iawn... cadw atgofion yn fyw a'u pasio nhw ar hyd y cenedlaethau. Mae'n gadwyn o gariad a pharch, un sy'n ein hatgoffa o'r ryseitiau a'r bobol arbennig sy'n aros yn fyw yn ein calonnau.

Digon i 8-10

450g o fenyn

600g o fflŵr plaen

¼ llwy de o halen

240ml o ddŵr oer

8 afal Bramley

1 lemwn

500g o siwgr mân

1 llwy fwrdd o bast ffa fanila

½ llwy de o sinamon wedi'i falu (neu 1 llwy de os y'ch chi'n hoffi blas sinamon cryf)

1 wy wedi'i guro

Ychydig bach o siwgr gronynnog

I wneud y toes, torrwch y menyn oer yn giwbiau bach a rhowch nhw mewn bowlen gyda'r fflŵr a'r halen. Rhwbiwch nhw gyda'i gilydd nes bod y fflŵr a'r menyn wedi eu gorchuddio'n dda ac yn debyg i dywod garw. Yna, yn y dŵr oer, gweithiwch nhw gyda'i gilydd yn does. Wedyn, rhowch ychydig o fflŵr ar y bwrdd a thylino'r toes nes ei fod yn dod at ei gilydd a ddim yn cwympo'n ddarnau – peidiwch â gorweithio'r toes. Hanerwch y toes a'i rolio yn ddau gylch gyda phìn rholio. Gorchuddiwch nhw gyda *cling film* a'u gadael yn yr oergell tra eich bod yn gwneud y llenwad afalau.

Piliwch bob afal a'u torri'n ddarnau canolig eu maint, yna rhowch nhw mewn bowlen o ddŵr gyda hanner y sudd lemwn. Ychwanegwch yr afalau un ar y tro i'w cadw rhag troi'n frown. Pan fyddwch yn barod i goginio draeniwch dri chwarter yr afalau (cadwch y chwarter arall yn y dŵr), yna rhowch nhw mewn sosban fawr gyda'r siwgr i gyd. Coginiwch nhw nes bod yr afalau yn dechrau colli eu siâp, yna ychwanegwch y fanila a'r sinamon a gweddill yr afalau. Trowch y cyfan a'i arllwys i mewn i dun pobi er mwyn oeri'n llwyr.

Cynheswch y ffwrn i 200°C gan wneud yn siŵr fod tun yn cynhesu ar y silff ganol ar gyfer y darten.

Rhowch ychydig o fflŵr ar y bwrdd a rholio'r toes nes ei fod yr un trwch â phunt. Yna leiniwch waelod dysgl y darten gyda'r toes, gan wasgu'r toes i'r corneli yn ofalus, a phriciwch y gwaelod gyda fforc. Fe allwch chi gael gwared ar unrhyw does sy'n ymestyn dros ymyl y ddysgl, ond does dim angen torri yn rhy deidi. Rhowch y ddysgl gyda'r toes yn yr oergell. Rholiwch yr ail gylch o does i'r un trwch a'i dorri'n ddarnau hirsgwar. Defnyddiwch bren mesur i fesur 12 stribyn yr un maint, 1 fodfedd o led. Tynnwch y ddysgl does o'r oergell a'i llenwi gyda'r afalau, yna yn ofalus, ychwanegwch y stribedi toes i greu *lattice*. Fe allwch chi adael y toes yn un darn os y'ch chi ddim yn gysurus yn creu *lattice*. Torrwch yr ochrau toeslyd fel eu bod yn daclus – crimpiwch yr ochrau ym mha bynnag ffordd sy'n eich siwtio chi. Brwsiwch y toes gydag wy a sgeintio ychydig o siwgr gronynnog dros y cyfan.

Defnyddiwch ddarn o ffoil i orchuddio'r darten yn llac. Trowch dymheredd y ffwrn i lawr i 190°C a phobi am 30 munud. Tynnwch y ffoil a phobi am 15 munud arall, yna gadewch i'r darten oeri yn gyfan gwbl ar rac oeri.

Nanny's apple pie

One of my only regrets ever is not asking my grandmother, Nanny Coo Coo as she was called, how she made her terrific apple pie. According to my mother she used self-raising flour, a dinner plate instead of a pie tin and so much sugar it should have been illegal. She broke all the pastry rules and yet it was quite simply the best homemade apple pie ever. Keeping recipes, even if they have been adapted, is important. Keeping memories alive and passing them along through the generations. It's a chain of love and respect, and it reminds of us of those special recipes and people who touch our hearts.

Serves 8-10

450g of butter

600g of plain flour

¼ tsp of salt

240ml of cold water

8 Bramley apples

1 lemon

500g of caster sugar

1 tbsp of vanilla bean paste

½ tsp of ground cinnamon (or 1 tsp if you like a lot of cinnamon flavour)

1 beaten egg

A sprinkling of granulated sugar

To make the pastry, cut the cold butter into small cubes and place in a bowl with the flour and salt and rub together until the flour and butter are small and well coated and resemble a coarse sand. Then, in with your cold water and work together into a dough. Next, onto a floured surface and knead until it just comes together and doesn't fall apart – don't overwork it. Halve the dough and roll them out with a rolling pin into disks, cover with cling film and leave in the fridge while you make the filling.

Peel each apple and cut into medium-sized chunks, and then pop them in a bowl of water with half a lemon and half the lemon juice. Keep adding each apple one by one, this stops them from going brown. When you are ready to cook drain three quarters of the apples well (keep a good quarter back and keep in the water), and then put in a large saucepan with all the sugar. Cook this down until it's just breaking up and then add in the vanilla and cinnamon and the other quarter of apples. Stir and then pour onto a baking tray to cool completely.

Preheat the oven to 200°C, making sure there is a tray preheating on the middle shelf for the pie to sit on.

Roll the pastry on a floured surface until it is the thickness of a pound coin. Then line the pie dish with the dough, gently pressing the dough into the corners, and prick the bottom with a fork. Remove any dough that hangs over the sides but there's no need to trim too neatly. Place the dough-lined pie dish in the fridge. Roll the second disc of dough out to the same thickness and then cut into a rectangle. Measure out with a ruler 12 equal strips about 1 inch in width. Get the pie dish out of the fridge and fill with the filling, then carefully add the strips to form a lattice, or alternatively you can leave the dough as one large piece if you are not comfortable doing a lattice. Trim off any excess on the sides so it is nice and neat – you can use any crimping methods you like for the edges. Egg-wash the top and sprinkle with some granulated sugar.

Cover the top of the pie loosely with foil. Drop the oven down to 190°C and bake for 30 minutes. Remove the foil and bake for a further 15 minutes, and then allow the pie to cool completely on a cooking rack.

Hawawshi

Rhowch y ciwb o stoc i doddi yn y dŵr berw. Mewn bowlen, ychwanegwch y briwsion bara (*panko* ddefnyddiais i ond mae unrhyw friwsion bara yn gweithio'n dda) ac arllwys y stoc drostyn nhw. Gadewch nhw i fwydo am 2–3 munud. Yna, ychwanegwch y mins cig oen a'r holl gynhwysion ar y rhestr. Cymysgwch y cyfan yn dda gyda'ch dwylo.

Tip* Fe allwch chi ffrio ychydig o'r gymysgedd mewn ffreipan i wneud yn siŵr eich bod yn hapus gyda'r blas, achos mae rhai pobol yn hoffi mwy o sbeis neu halen.

Yn ofalus, llenwch y pocedi pita gyda'r llenwad, tua 3 llwy fwrdd ym mhob un, a gwasgwch nhw i lawr ychydig. Yna rhowch nhw mewn tun a'u pobi yn y ffwrn ar 190°C am 10 munud, gan eu troi hanner ffordd. Gadewch nhw i oeri am 2–3 munud a'u gweini gydag ychydig o flas ffres *tzatziki*, wynwns wedi'u piclo a sblash o leim.

Digon i 6

1 ciwb o stoc cig oen
4 llwy fwrdd o ddŵr berw
4 llwy fwrdd o friwsion bara
2 ewin garlleg
1 wynwnsyn bach gwyn, wedi'i gratio
1 tomato, wedi'i gratio
1 llwy fwrdd fawr o gennin syfi a phersli
1 llwy fwrdd o rosmari
Halen a phupur
1 llwy fwrdd o gwmin
1 llwy fwrdd o bowdr tsili
1 llwy fwrdd o baprica
1 llwy de o bupur caián
1 llwy de o arlleg sych
1 llwy de o saets sych
1 llwy de o oregano
1 pinsiad o sinsir wedi'i falu
500g o fins cig oen
Bara pita meddal, hawdd ei lenwi

I addurno

Tzatziki
Wynwns coch wedi'u piclo
Leims ffres

Hawawshi

Serves 6

1 lamb stock cube
4 tbsp of boiling water
4 tbsp of breadcrumbs
2 cloves of garlic
1 small white onion, grated
1 tomato, grated
1 heaped tbsp of chives and parsley
1 level tbsp of rosemary
Salt & pepper
1 tbsp of cumin
1 heaped tbsp of chilli powder
1 heaped tbsp of paprika
1 tsp of cayenne pepper
1 tsp of garlic granules
1 tsp of dried sage
1 tsp of oregano
1 pinch of ground ginger
500g of minced lamb
Soft pitta bread, easy to fill

Garnish

Tzatziki
Pickled red onions
Fresh limes

Dissolve the stock cube in the boiling water. In a bowl, add the breadcrumbs (I used panko but any dry breadcrumbs work well) and pour over your stock. Allow to soak for 2–3 minutes. Then add to this the lamb mince and all the ingredients on the list. Use your hands to mix together well.

Tip* You can fry a little of the mixture in a pan to taste to make sure you are happy with the seasoning, as some people like it more spicy or salty.

Gently fill your pitta pockets with the filling, about 3 tablespoons should do it, and squash them down a little. Then place on a baking tray and bake in the oven at 190°C for 10 minutes, turning half way through. Allow to cool for 2–3 minutes and serve with some cool refreshing tzatziki, pickled onions and a splash of lime.

Quesadillas cyw iâr

Mae'r quesadillas yma'n ffordd wych o ddefnyddio cig dros ben ar ôl cinio dydd Sul ac yn mynd â'r blas i lefel arall. Trwy ddefnyddio sbeisys syml fe allwch chi greu byrbryd neu ginio i chi a'r teulu cyfan sy'n gyflym, yn gyfleus ac yn blasu'n ffantastig!

Rhowch yr olew, y menyn a'r winwnsyn wedi ei dorri'n sleisys mewn ffreipan. Coginiwch ar wres canolig am 15 munud nes bod y winwns wedi carameleiddio. Ychwanegwch sblash o ddŵr i gadw'r winwns rhag sticio. Ar ôl 10 munud ychwanegwch y sbeisys i'r winwns a throi'r cyfan gyda sblash o ddŵr rhag i'r sbeisys losgi. Cymysgwch y cyw iâr, y *mayonnaise* a'r ffa du. Unwaith iddo oeri ychwanegwch hwn at y gymysgedd cyw iâr a sesnwch gyda halen a phupur.

Chwistrellwch bach o olew mewn ffreipan ac ychwanegu *wrap tortilla*, yna'r ddau fath o gaws, bach o'r gymygedd a mwy o gaws, coriander ffres a *wrap* arall. Coginiwch ar wres isel iawn am tua 5 munud i dwymo'r cyw iâr. Gwnewch y siŵr fod y llenwad yn dwym ac wedyn trowch y gwres yn uwch i ychwanegu bach o liw euraidd i'r *wrap*. Unwaith ei fod yn euraidd defnyddiwch blât i fflipio'r *wrap* drosodd, wedyn ei sleidio fe nôl mewn i'r ffreipan er mwyn lliwio'r ochr arall. Rhowch y *wrap* ar fwrdd torri a gadewch iddo oeri dipyn cyn ei chwarteru yn 4 triongl blasus. Dylai fod digon i greu queasadilla arall.

Gweinwch gyda salsa, hufen sur a *guacamole* i gael y profiad Tex-Mex llawn.

Digon i 2-4

- 3 llond llaw o gyw iâr dros ben wedi ei goginio
- 1 llwy fwrdd o *mayonnaise*
- 1 pecyn (200g) o ffa du wedi'u ffrio a'u coginio
- Halen a phupur
- Olew olewydd
- Menyn
- 1 winwnsyn mawr
- 1 llwy fwrdd o gwmin wedi'i falu
- 1 llwy fwrdd o bowdr tsili
- 1 llwy de o baprica
- 1 llwy de o garam masala
- *Tortilla wraps* mawr
- Caws *mozzarella* wedi'i gratio
- Caws Leicester coch wedi'i gratio
- Coriander ffres

Chicken quesadillas

These quesadillas are a fantastic way to use up leftover chicken and take it to a whole new level of flavour compared to your simple roast. By using some simple spices you can make a wicked snack or lunch for you and the whole family that are so quick and so good!

Serves 2-4

3 handfuls of leftover chicken

2 tbsp of mayonnaise

1 pack (200g) of black pre-cooked refried beans

Salt

Olive oil

Butter

1 large white onion

1 tbsp of ground cumin

1 tbsp of chilli powder

1 tsp of paprika

1 tsp of garam masala

Salt & pepper

Grated mozzarella

Grated Red Leicester

4 large tortilla wraps

Fresh coriander

In a frying pan add the oil and butter and your white onion finely sliced. Cook on medium heat for 15 minutes until the onions are nicely caramelised, stirring occasionally. Add a splash of water now and then if the onions catch or stick. After 10 minutes add your spices to the onions along with a splash of water to stop the slices from burning. Set aside to cool. In a bowl mix together the chicken, mayonnaise and the black beans. Add the onions to this mixture and season well.

Spray a frying pan with a little oil and add a tortilla wrap. Top with a handful of both cheeses, then the mixture, more grated cheese and the fresh coriander and another tortilla wrap. Cook on a very low heat making sure to heat the chicken through nicely – this can take up to 5 minutes. Check the filling is warm and then increase the heat for 30 seconds to get a nice golden colour on the wrap. Once it's coloured turn the heat down to low and use a plate on top to flip the wrap over to the other side, slide it back into the pan and repeat the process to colour the other side. Slide onto a chopping board and allow to cool slightly before slicing into 4 triangles.

There should be enough ingredients left to make another quesadilla.

Serve with salsa, sour cream and guacamole for the full Tex-Mex experience.

Grefi gwyrdd

Mae'n drist pan fydd rhywun yn gweini llysiau iach bendigedig ar gyfer gwesteion neu'r plant a hwythau ddim yn eu bwyta nhw – dyma ffordd fach slei o wneud yn siŵr eu bod nhw'n cael ychydig o fwyd maethlon. Ar ôl hanner tymor neu wyliau bach pan mae fy mhlant bron â throi'n nygets cyw iâr neu sglodion, mae hon yn rysáit berffaith i ychwanegu bach o liw gwyrdd i'r bwyd melynfrown ac i wneud 'Mamma' yn hapus eu bod yn llawn dop o ddaioni! Shhhhh, peidiwch â dweud wrth y plant!

Digon i 7-8

Llysiau dros ben neu gyfuniad o'r llysiau isod:

300g o gabaets wedi'u coginio gydag 1 llwy de o ficarbonad soda

150g o foron wedi'u coginio

380g o frocoli wedi'i goginio

170g o bys wedi'u coginio

1 litr o stoc cyw iâr neu gig eidion, neu stoc wedi'i gyfuno â dŵr cabaets

3 llwy fwrdd o fenyn

3 llwy fwrdd o fflŵr

Hylif brownio grefi

Berwch ychydig o fresych Savoy a moron mewn dŵr a halen am 10 munud ac ychwanegu 1 llwy de o ficarbonad soda i'w meddalu. Draeniwch y cabaets ond cadwch y dŵr. Berwch lond llaw o frocoli ac ychydig o bys yr ardd nes eu bod yn feddal.

Berwch ddŵr y cabaets ac ychwanegu 2–3 ciwb o stoc cyw iâr neu gig eidion. Rhowch y llysiau i gyd mewn bowlen gyda llond mẁg o'r dŵr cabaets/stoc a chymysgu'r cyfan gyda chymysgydd llaw i greu piwrî llyfn, gwyrdd llachar.

Mewn sosban, toddwch y menyn ac ychwanegu'r fflŵr plaen a'i goginio am funud. Yn raddol, chwisgiwch y dŵr cabaets/stoc i mewn, gan droi trwy'r amser i gael gwared o'r lympiau a chreu saws cig sy'n llyfn fel sidan. Daliwch i droi nes bod y grefi'n ddigon trwchus i chi, yna ychwanegwch y piwrî llysiau gwyrdd ynghyd ag ychydig bach o hylif brownio grefi ac unrhyw sudd o gyw iâr neu gig eidion wedi'i rostio, os oes peth 'da chi.

Fe allwch chi dywallt y grefi yma dros unrhyw bryd bwyd, ac mae'n cynnwys yr holl lysiau cinio dydd Sul yna y mae rhai plant ffysi yn gwrthod eu bwyta oherwydd teimlad y llysiau yn y geg.

Mae'n berffaith gyda sosejys a thatws stwnsh!

Green gravy

Sad are the times when you plate your beautiful healthy vegetables for guests or children and they don't eat them – this is a sneaky way to ensure they are having the goodness anyway. After a half term or trip away where my children have practically turned into a chicken nugget or a French fry, I found this to be a perfect go-to recipe to green up their beige food and satisfy Mamma that they are full of a little bit of goodness! Shhhhh, don't tell the kids!

Boil some Savoy cabbage and carrots in salted water for 10 minutes and add a teaspoon of bicarbonate of soda to soften it. Drain the cabbage but keep the cabbage water. Cook a handful of broccoli and some garden peas until soft.

Heat up the cabbage water, adding 2-3 chicken or beef stock cubes. Place all your cooked veg in a bowl along with a mug full of the cabbage water/stock and blitz the veg with a hand blender until puréed, smooth, vibrant and green.

In a saucepan, melt the butter and then add the plain flour and cook for a minute. Gradually whisk in the cabbage water/stock, whisking constantly to remove lumps and create a silky smooth meat sauce. Keep going until you achieve the thickness of gravy you enjoy, and then add in the green veg purée along with a small amount of gravy browning and any meat juices from a roast chicken or beef, if you have it.

This can be served over any meal and includes all the roast dinner veggies that some fussy eaters do not enjoy the texture of.

Perfect served with sausages and mashed potato!

Serves 7-8

Leftover veg or a combination of the veggies below:

300g of cabbage cooked with 1 tsp of bicarbonate of soda

150g of cooked carrots

380g of cooked broccoli

170g of cooked peas

1 litre of chicken or beef stock, or stock mixed with cabbage water

3 tbsp of butter

3 tbsp of flour

Gravy browning

175 mi
Land of Lincoln
865mi

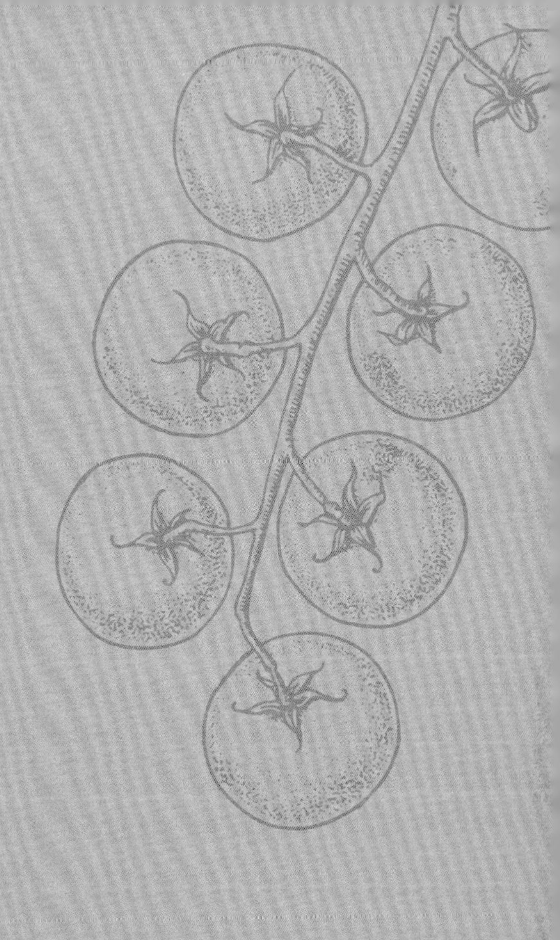

Yr Eidal

~

Italy

Risoto pwmpen cnau menyn wedi rhostio a saets

Risoto yw fy nghyfrinach fach i pan dwi eisiau i'r plant fwyta eu llysiau! Mae Eidalwyr yn gweini eu prydau reis a phasta (y cwrs primi) heb gig, ac er bod hwn yn hynod o gyfoethog a chysurlon, dim ond plataid bach y byddech chi'n ei gael mewn bwytai Eidalaidd. Dyw hon ddim yn rysáit gyflym, ond yn bendant mae'n werth yr ymdrech. Ro'n i'n gwybod bod yn rhaid i mi ddysgu coginio'r risoto yma pan welais i fod tri o fy hoff gynhwysion ynddo: carbohidradau, menyn a chaws – drwg ond blasus! Dwi'n dal yn y broses o berswadio fy nhad i fwyta risoto... yn araf bach fe wna i lwyddo, neu piano, piano fel maen nhw'n ddweud yn yr Eidal.

Yn gyntaf, torrwch y bwmpen cnau menyn yn giwbiau hanner modfedd o faint. Rhowch nhw mewn bowlen gydag ychydig o olew olewydd, halen, garlleg a sinsir wedi'u malu a chymysgu'n dda. Rhowch y cyfan mewn tun pobi a'i roi yn y ffwrn ar 180°C am 20 munud nes bod y bwmpen cnau menyn yn feddal ac wedi carameleiddio ychydig.

Gwnewch y stoc llysiau a'i gadw'n gynnes mewn sosban ar wres isel.

Yn y cyfamser, torrwch y winwnsyn yn fân a'i roi mewn sosban ar wres canolig gydag olew olewydd nes ei fod yn dechrau meddalu. Pan fydd yn feddal ychwanegwch un ewin garlleg wedi'i falu a 5 o ddail saets mawr wedi'u torri'n fân. Ychwanegwch y reis risoto a chymysgu'r cyfan. Tostiwch am funud gyda'r cynhwysion eraill. Yna ychwanegwch eich lletwad cyntaf o stoc llysiau. Trowch y reis risoto yn dda nes bod y stoc wedi'i amsugno ac ailadrodd y broses hon nes bod hanner y stoc wedi mynd. Dyma'r amser i ychwanegu croen y Parmesan. Fe allwch ei roi yn syth yn y reis wrth i chi barhau i ychwanegu'r stoc tamaid bach ar y tro a throi'r cyfan. Tra eich bod chi'n aros i'r reis amsugno'r stoc, trowch y gwres i lawr yn isel.

Tynnwch y bwmpen cnau menyn allan o'r ffwrn. Rhowch ei hanner mewn dysgl ar wahân a'i falu gydag ychydig o stoc gan ddefnyddio cymysgydd llaw. Rhowch ychydig o fêl dros y ciwbiau sy'n weddill tra eu bod yn gynnes a'u rhoi o'r neilltu ar gyfer eu gweini yn nes ymlaen.

Trowch y piwrî trwy'r risoto. Yna parhewch i ychwanegu lletwadau o'r stoc wrth droi er mwyn i'r reis amsugno'r hylif a rhyddhau y startsh hufennog. Blaswch y reis ac unwaith y bydd yn teimlo fel pe bai'n dechrau meddalu, ond bod ychydig o waith cnoi o hyd, tynnwch groen y Parmesan, ychwanegu dau letwad o stoc, y menyn a'r caws Parmesan i gyd. Cymysgwch yn egnïol, yna rhowch gaead ar y sosban a gadael i'r risoto orffwys am 4 munud oddi ar y gwres.

Cyn i chi ei weini, blaswch i weld a oes angen mwy o halen a phupur. Dylai'r risoto fod ychydig yn llac, heb ddal ei siâp yn ormodol – i'w lacio ychwanegwch fwy o stoc poeth. Dylai symud yn rhwydd oddi ar y llwy wrth ei weini. Ar ben y risoto rhowch ychydig o saets ffres a theim wedi'u torri'n fân, y ciwbiau bach melys o bwmpen sydd dros ben, ychydig mwy o gaws Parmesan ac ychydig o olew olewydd.

Digon i 2

½ pwmpen cnau menyn – pliciwch y croen a thynnu'r hadau

3 llwy fwrdd o olew olewydd

Halen a phupur

1 llwy de o arlleg wedi'i falu

1 llwy de o sinsir wedi'i falu

750ml o stoc llysiau (stoc cartre neu 3 ciwb parod o stoc llysiau)

½ winwnsyn brown mawr

1 ewin garlleg wedi'i falu

5 deilen saets fawr ffres

200g o reis risoto Arborio

Caws Parmesan wedi'i gratio'n fân (cadwch y croen)

Mêl

30g o fenyn

Teim

Roasted butternut squash and sage risotto

Risotto is my little ace card to play when I want my kids to eat their veggies! Italians like to keep their rice and pasta dishes (primi course) meat-free and although it is super indulgent and comforting you would only get a small portion of this in Italian restaurants. It's not a quick recipe but it is definitely worth the effort. I knew I had to learn to make it when I saw three of my favourite ingredients involved: carbohydrates, butter and cheese – naughty but nice! I am still in the process of winning my dad over with risotto... slowly, slowly I will get there, or piano, piano as they say in Italy.

Serves 2

½ a butternut squash, seeds and skin removed

3 tbsp extra virgin olive oil

Salt & pepper to taste

1 tsp of garlic powder

1 tsp of ground ginger

750ml of vegetable stock (homemade or 3 veg stock cubes)

½ a large brown onion

1 garlic clove, minced

5 large fresh sage leaves

200g Arborio risotto rice

Finely grated Parmesan cheese (keep the rind)

Honey

30g of butter

Thyme

First, cut up your butternut squash into half inch cubes. Toss in a bowl with some olive oil, salt, garlic powder and ground ginger. Place in an oven tray and into the oven at 180°C for 20 minutes until soft with a little caramelisation on top.

Make your vegetable stock, then keep warm in a saucepan on a low heat.

Meanwhile, dice your onion finely and place into a saucepan on a medium heat with olive oil until it begins to soften. When soft add in one garlic clove minced and 5 large sage leaves finely chopped. Stir in the risotto rice and toast for a minute with the other ingredients. Then add in your first ladle of vegetable stock. Stir your risotto rice well until all the stock has been absorbed and repeat this process until half of the stock is gone. This is a great time to add the Parmesan rind, if you have it; it can be placed straight into the rice as you continue to add the stock in small amounts and stir. While you are waiting for the rice to absorb the stock, turn the heat down low.

Take the butternut squash out of the oven. Remove half and a little of the stock and blitz with a hand blender. Drizzle the remaining cubes with a little honey while it is warm and set aside for plating later.

Stir the purée through the risotto. Then continue to add ladles of the stock while stirring, making the rice absorb the liquid and release its creamy starch. Taste the rice and once it feels as if it is half soft but still has a little bite to it, remove the Parmesan rind, add two more ladles of stock, the butter and all the Parmesan cheese. Mix this vigorously and then place a lid on the saucepan and allow the risotto to rest for 4 minutes off the heat.

Before plating, taste and season the risotto. The texture should be slightly loose, not holding its shape too much – to loosen it up add more hot stock. It should run off the ladle easily while plating. Top your risotto with some finely chopped fresh sage and thyme, the sweet butternut squash pieces left over, a little more Parmesan cheese and a drizzle of extra virgin olive oil.

Polpette fantastiche!

Er i mi dreulio rhai blynyddoedd yn yr Eidal pan oedd Aaron yn chwarae i Juventus, fy mhrofiad cyntaf o fwyta polpette Eidalaidd oedd mewn bwyty Eidalaidd bach yng Nghaerffili ble o'n i'n gweini yn fy arddegau. Bella Capri oedd ei enw. Hyd yn oed bryd hynny, roedd bwyd yn obsesiwn; bydden i'n gwylio'r cogyddion yn lle gweini wrth y byrddau. Ro'n i wrth fy modd fel gweinyddes, yn gweini bwyd i bobol, yn eu gwylio nhw'n bwyta, gan obeithio eu bod nhw'n mwynhau. Yn aml iawn nid oedd y peli cig mewn saws marinara yn cael eu harchebu ac roedd rhaid i ni, y gweithwyr lwcus, fynd â nhw adre, er mawr fwynhad i fy nghariad ar y pryd (fy ngŵr bellach). Mae polpette yn boblogaidd iawn yn Turin lle ro'n ni'n byw ac yn boblogaidd gydag Aaron a phawb yn fy nheulu!

Digon i 8-10 neu 2 ran

Ar gyfer y saws

Olew olewydd

1 winwnsyn wedi'i dorri'n fras

1 foronen

Teim – 5 coesyn, gan dynnu'r dail a'u torri

2 giwb o stoc cig eidion

750ml o ddŵr berw

2 ddeilen lawryf

Jar 690g o *passata*

2 lwy fwrdd o besto tomato heulsych

2 lwy fwrdd o biwrî tomato

2 lwy fwrdd o siwgr

Cwpan o friwsion bara

½ mŵg o laeth

2 ewin garlleg

2 wy mawr (1 ar gyfer creu'r peli cig)

70g o gaws Parmesan wedi'i gratio'n fân

Cig selsig o 4 selsigen cig moch

1kg o fins cig eidion braster uchel

Llond llaw o bersli wedi'i dorri'n fân

Llond llaw o fasil wedi'i dorri'n fân

Halen a phupur

Dechreuwch gyda'r saws tomato. Mae hwn yn saws melys syml i gyd-fynd â'r peli cig sawrus.

Cynheswch yr olew mewn sosban fawr. Taflwch y winwnsyn a'r moron wedi'u torri'n fras i mewn a'u coginio am ychydig funudau. Rhowch y ciwb o stoc yn y dŵr berw. Yna ychwanegwch hwn, ynghyd â holl gynhwysion y saws sy'n weddill, i'r sosban. Unwaith y bydd y cyfan yn berwi trowch y gwres i lawr nes bod y saws yn mudferwi. Mudferwch nes fod y winwns a'r moron yn ddigon meddal i'w hylifo.

Tra bod y saws yn mudferwi, mewn bowlen cyfunwch y briwsion bara gyda'r llaeth a gadael iddyn nhw fwydo am ychydig funudau.

Yna ychwanegwch y garlleg, yr wy, y caws Parmesan, y cig, y persli a'r basil a sesno'n dda gyda halen a phupur. Cymysgwch y cyfan â'ch dwylo am ychydig funudau, ond ddim yn rhy hir rhag gwneud y peli cig yn galed.

Chwistrellwch yr olew ar hyd y tun pobi a chreu peli tua'r un maint ag wy mawr.

Chwistrellwch y peli ag olew ac yna eu brownio o dan gril poeth am tua 10 munud.

Tra eu bod yn brownio fe allwch dynnu y teim a'r dail llawryf a hylifo'r saws tomato gyda chymysgydd llaw nes ei fod yn llyfn, ac yna ei roi yn ôl ar wres uchel i leihau ychydig.

Pan fydd y peli cig wedi brownio'n braf, tynnwch nhw allan o'r ffwrn a'u rhoi yn y saws am 35–40 munud ar wres isel gyda chlawr ar eu pennau.

Coginiwch y pasta (dwi'n argymell *pappardelle* neu sbageti) mewn dŵr hallt, nes ei fod yn *al dente*. Draeniwch gan gadw llond mŵg o'r dŵr pasta. Rhowch y pasta wedi'i ddraenio yn ôl yn y sosban gynnes wag. Blaswch y saws ac ychwanegu mwy o halen a phupur os oes angen. Rhowch y saws ar ben y pasta ynghyd â sblash o ddŵr y pasta a chymysgu nes bod y pasta wedi amsugno'r saws ac wedi ei orchuddio ganddo. Gweinwch gylch braf o basta gyda chymaint o beli cig perffaith ar ei ben ag y'ch chi moyn.

Buon appetito, amici.

Polpette fantastiche!

Although I spent a few years in Italy when Aaron was playing for Juventus, my first experience with proper Italian polpette was in a little Italian restaurant I worked at in Caerphilly. It was called Bella Capri. Even then, I was obsessed with food, watching the chefs instead of waiting the tables. I loved being a waitress, serving people food, watching them eat it, hoping they enjoyed it. Very often the meatballs in marinara sauce were not ordered and we, the lucky ones, got to take them home, much to my boyfriend's (now husband's) enjoyment. Polpette are very popular in Turin where we lived and a hit with Aaron and everyone in my family!

First, start with the tomato sauce. This is a simple sweet sauce to complement the savoury meaty meatballs.

Heat the oil in a large saucepan. Throw in your roughly chopped white onion and carrots and cook for a few minutes. Dissolve the stock cube in the boiling water. Add this along with all the remaining sauce ingredients, bring to a boil and then reduce the heat to a simmer. Cook until onions and carrots are soft enough to blend.

While this simmers, in a bowl combine the breadcrumbs with the milk and let them soak for a few minutes. Then add in the garlic, egg, Parmesan cheese, meat, parsley and basil and season well. Mix with your hands for a few minutes, not too long because it can make the meatballs tough.

Spray a baking tray with oil and make them into medium-sized balls the size of a large egg.

Spray with oil and then colour under a hot grill for about 10 minutes.

As they are colouring under the grill, remove bay leaves and thyme stalks and liquidise the tomato sauce with a hand blender until it is smooth and then place back onto a high heat to reduce slightly.

When the meatballs have browned nicely, take them out of the oven and place them into the sauce for 35–40 minutes on a low heat with the lid on.

Cook your pasta of choice (I recommend pappardelle or spaghetti) in salty water, until al dente, and drain, reserving a mug of the pasta water. Return the drained pasta to the warm empty saucepan. Taste your sauce and adjust the seasoning to your taste and then spoon a few ladles of the sauce on top of the pasta, along with a splash of the pasta water, and mix around until the pasta has absorbed and is coated by the sauce. Serve in a nice spiral and top with as many perfectly moist meatballs as your hungry heart desires.

Buon appetito, amici.

Serves 8-10 or two batches

For the sauce

Olive oil

1 onion roughly chopped

1 carrot roughly chopped

1 beef stock cube

3 mugs of boiling water

Thyme – 5 stalks, leaves removed and chopped

2 bay leaves

A 690g jar of passata

2 tbsp of sun-dried tomato pesto

2 tbsp of tomato purée

2 tbsp of sugar

A mug of breadcrumbs

½ a mug of milk

2 garlic cloves, minced

2 large eggs (1 to bind the meatballs)

70g of finely grated Parmesan cheese

Sausage meat from 4 pork sausages

1kg of high fat minced beef

A handful of parsley, finely chopped

A handful of basil, finely chopped

Salt & pepper to season

Saws Nana

Efallai eich bod chi'n meddwl i fi ddewis y blodfresych a'r cabaets gwyn am eu bod yn llawn fitaminau C a K, calsiwm, haearn, potasiwm, magnesiwm, ffibr, protin a fitamin B6 – ond na. Y rheswm oedd eu bod nhw'n llysiau gwyn haha! Fe ddechreuais i gyda saws hufennog roedd Mam yn ei wneud a meddwl am ffyrdd i'w wneud yn fwy iach i'r plant, ac i ychwanegu ansawdd gwahanol – dyna pam mae'r briwsion bara yn bwysig. Fe ddaeth Mam a finnau at ein gilydd i ddod â saws Nana yn fyw. Mae bach o sbigoglys a thomatos ffres yn gweddu'n dda i'r saws, ond mae'r saws gwreiddiol yn plesio bwytwyr ffysi bob tro.

Digon i 6

4 llwy fwrdd o biwrî blodfresych

4 llwy fwrdd o biwrî cabaets gwyn

1 pecyn neu 6 darn o facwn brith

Olew ar gyfer ffrio

1 llwy de o fenyn

½ winwnsyn gwyn mawr

5/6 clof o arlleg

Twb o gaws mascarpone

1 ciwb o stoc jeli cyw iâr

1 llwy de o arlleg sych

10 llwy fwrdd o hufen dwbwl

Halen a phupur

3 llwy fwrdd o gaws Parmesan wedi'i gratio

6 llwy fwrdd o friwsion bara *panko*

3 llwy fwrdd o bersli ffres 'di'i dorri'n fân

Pasta sych

I baratoi y ddau biwrî, berwch y blodfresych a'r cabaets gwyn nes eu bod yn feddal a defnyddio cymysgydd llaw i greu piwrî llyfn gydag ychydig o'r dŵr berw. Fe allwch chi rewi'r piwrî (mewn blwch ciwbiau iâ) a'u hychwanegu'n syth i'r saws garlleg.

Berwch lond sosban o ddŵr gyda digon o halen. Torrwch y braster oddi ar y bacwn a thorri'r cig a'r braster yn fân. Mewn sosban, ffrïwch y bacwn nes bod y cyfan yn grensiog. Rhowch y bacwn o'r neilltu ond cadwch yr olew i ffrio'r llysiau. Ychwanegwch y menyn, a ffrio'r winwnsyn wedi'i dorri'n fân neu wedi gratio ar wres isel gydag ychydig o halen nes ei fod yn feddal (tua 5 munud). Ychwanegwch dri chwarter y garlleg wedi'i gratio gan gadw chwarter yn ôl. Ar ôl 1–2 funud ychwanegwch y caws mascarpone – dyma fwyd y duwiau – nes bod y caws yn toddi, yna'r stoc jeli. Nawr ychwanegwch y pwrî blodfresych a chabaets gwyn, gweddill y garlleg ac 1 llwy de o arlleg sych (mae garlleg wrth wraidd y rysáit hon!). Dewch â'r cyfan i'r berw ac ychwanegu'r hufen dwbwl oer. Sesnwch gyda halen a phupur fel y dymunwch, ychwanegu'r caws Parmesan a diffodd y gwres. Mae'r saws yn barod nawr ac fe fydd yn tewhau wrth iddo sefyll.

Coginiwch eich hoff basta nes ei fod yn *al dente* a chadw llond cwpan o ddŵr hallt, startslyd y pasta.

Mewn ffreipan ar wahân, cynheswch lond llwy fwrdd o olew ac ychwanegu'r briwsion bara (mae unrhyw friwsion yn iawn ond dewisais i'r rhain am eu bod yn fwy crensiog). Daliwch ati i'w troi ac unwaith maen nhw'n euraidd trowch y gwres bant, torrwch y bacwn crensiog yn fân iawn a'i ychwanegu i'r briwsion bara a'r persli, rhowch y persli a'r bacwn wedi'i ffrio i mewn. Ychwanegwch y pasta sydd wedi'i goginio gan ddefnyddio dŵr y pasta i lacio ychydig ar y saws. Gweinwch gyda'r briwsion bara a'r bacwn a mwynhewch!

Nana's sauce

You might be thinking I chose cauliflower and white cabbage for their health benefits such as vitamin C and K, calcium, iron, potassium, magnesium, fibre, protein and vitamin B6 – but no. It's because they are white haha! I took a creamy sauce my mum made and thought of ways to make it a bit healthier for the kids, and to add some texture – which is where the breadcrumbs came in. The two Rowlands ladies worked together to create Nana's sauce. A bit of spinach and some fresh tomato also goes so well in this but for fussy eaters this one – as it is – will always be a winner!

Serves 6

- 4 tbsp of puréed white cabbage
- 4 tbsp of puréed cauliflower
- 1 packet or 6 rashers of streaky bacon
- Oil for frying
- Butter
- ½ a large white onion
- 6 cloves of garlic
- Tub of mascarpone cheese
- 1 jelly chicken stock cube
- 1 tbsp of garlic granules
- 10 tbsp of double cream
- Salt & pepper
- 3 tbsp of grated Parmesan cheese
- 6 tbsp of panko breadcrumbs
- 3 tbsp of fresh chopped parsley
- Dried pasta

For the purées, simply boil the white cabbage and the cauliflower until soft and then blend with a little of the cooking liquid and some salt until it forms a smooth purée. This can be frozen (in an ice cube tray) and added to the garlic sauce from frozen.

Put a saucepan of water on to boil and season well with salt.

Fry the streaky bacon in the oil until crispy. Then remove the bacon but keep the flavoured oil to fry your vegetables. Add a knob of butter and the finely chopped or grated onion with a little salt then fry on a low heat until soft (5 minutes), then add three quarters of the minced garlic, keeping a quarter back. After 1–2 minutes add the mascarpone – this stuff was made by angels – melt it down and then add the jelly stock cube. Now throw in the puréed cauliflower and cabbage along with the remaining garlic and 1 teaspoon of garlic granules (this is at its heart a garlic sauce after all!). Allow to come to the boil then add the cold double cream. Season with salt and pepper to taste, add the grated Parmesan and turn off the heat.

The sauce is now done and will thicken while it stands.

Cook your pasta of choice until *al dente* and keep a mug of the salty, starchy pasta water. In a separate frying pan, add 1 tablespoon of oil and when it's heated slightly add the panko breadcrumbs (any breadcrumbs are fine but I chose these for extra crunch). Keep turning and when they are golden turn off the heat, chop your crispy bacon into very small pieces and add into the breadcrumbs with the parsley. Add the cooked pasta to the sauce and loosen up with the pasta water. Serve topped with the bacony breadcrumbs and enjoy!

Dim gwastraff

No waste

Byrgers tiwna

Tostiwch eich rôls wedi'u torri mewn ffreipan sych. Arllwyswch y llaeth dros y briwsion bara mewn bowlen a gadewch i'r bara fwydo am 3 munud, yna ychwanegwch yr holl gynhwysion eraill ar gyfer y byrgers a chymysgu nes eu bod wedi'u cyfuno'n dda. Rholiwch y gymysgedd yn beli yn eich llaw, yna eu rhoi mewn ffreipan boeth gydag ychydig o olew. Gwasgwch y peli i lawr gyda sbatwla er mwyn creu byrgers bach.

Coginiwch nhw ar wres canolig am 5 munud bob ochr ac yna rhowch ychydig o gaws Red Leicester ar ben pob un. Rhowch y caead ar y ffreipan i doddi'r caws yn dda. Trowch y gwres bant unwaith i'r caws doddi.

Torrwch y *jalapeños* a'u cymysgu gyda'r *mayonnaise*. Taenwch hwn ar waelod y rôls wedi'u tostio. Rhowch y letys crensiog a'r ciwcymbr wedi'i sleisio'n denau ar ben y mayo. Rhowch y byrger ar ben y cyfan gydag ychydig mwy o *mayonnaise* a'i gau gyda thop y rôl.

Mae'r rysáit hon yn help mawr pan nad oes llawer o fwyd ar ôl yn yr oergell. Mae'n gyflym, yn rhad ac yn golygu y bydd eich ffrindiau a'ch teulu yn bwyta ychydig mwy o bysgod. Felly beth am estyn y tun tiwna yna o gefn y cwpwrdd a'i droi yn bryd arbennig!

Digon i 4

130ml o laeth

60g o friwsion bara

1 tun o diwna

1 llwy fwrdd o *capers*

1 llwy fwrdd o gennin syfi

1 llwy fwrdd o baprica

1 llwy de o arlleg sych

1 llwy de o fasil sych neu ffres

1 llwy fwrdd o winwnsyn gwyn, wedi'i dorri'n fân

Halen a phupur

2 wy

Caws Red Leicester wedi'i sleisio

Rôls bara ar gyfer byrgers

Jalapeños

Mayonnaise

Letys Iceberg

Ciwcymbr

Tuna burgers

Serves 4

130ml of milk

60g of breadcrumbs

1 tin of tuna

1 tbsp of capers

1 tbsp of chives

1 tbsp of paprika

1 teaspoon of garlic granules

1 teaspoon of dried or fresh basil

1 tbsp of chopped white onion

Salt & pepper

2 eggs

Sliced Red Leicester cheese

Burger buns

Jalapeños

Mayonnaise

Iceberg lettuce

Cucumber

Toast your buns in a dry pan. Pour the milk over the breadcrumbs in a bowl and allow to soak for 3 minutes, then add all the other burger ingredients and mix until nicely combined. Roll into a ball in your hand and put into a hot frying pan with a little oil, then squash down with a spatula into burger patties.

Cook on a medium heat for 5 minutes on each side, and then top with some Red Leicester cheese and pop the lid on to melt the cheese nicely. Turn off the heat once melted.

Slice up your *jalapeños* and mix into your *mayonnaise* and pop onto the bottom of the toasted bun. Top this mayo with crispy lettuce and thinly sliced cucumber. Add the burger and top with a little more mayo and your bun.

This recipe helps massively when you don't have much in your fridge. It's quick, cheap and cheerful and will get your friends and family eating a bit more fish. So let's get that tin of tuna out of the back of the cupboard and make it into something special!

Cawl llysiau

Yn yr Eidal, roedd cawl moron yn boblogaidd iawn mewn ysgolion a meithrinfeydd yn ogystal â mewn archfarchnadoedd. Roedd y plant yn dwli arno a dechreuais ei wneud e gartre yn rheolaidd, gan ychwanegu llysiau cudd oedd yn digwydd bod o gwmpas y lle. Mae'r tatws yn ychwanegu moethusrwydd i'r cawl ac yn llenwi'r bol. Mae'r pupur, y pys a'r corn melys yn dod â melyster y moron i'r amlwg. Ffordd flasus o ddefnyddio llysiau, sicrhau eich bod yn bwyta eich pump y dydd a defnyddio stoc cartre! Gwastraff? Dim fi!

Digon i 8

2 daten ganolig

Winwnsyn gwyn mawr

1 gorbwmpen

1 coes o seleri

3 moronen

2 ewin garlleg

5 coeden frocoli

2 lwy fwrdd o olew

20g o fenyn

Pupur coch a melyn wedi'u rhostio mewn jar

80ml o stoc (2 giwb stoc cyw iâr neu lysiau)

160g o bys wedi'u rhewi

160g o gorn melys wedi'u rhewi

150ml o laeth

150ml o hufen dwbwl

2 lwy fwrdd o ddail teim ffres

2 lwy fwrdd o bersli ffres

Pliciwch y tatws a'u torri'n giwbiau bychan. Torrwch y winwnsyn, y brocoli, y seleri a'r moron yr un maint a malu 2 ewin garlleg. Mewn sosban fawr gadewch i'r winwns, y gorbwmpen, y seleri a'r moron chwysu mewn ychydig o olew a menyn nes bod y llysiau'n feddal. Sesnwch yn dda gyda halen a phupur, ychwanegu'r garlleg a choginio am funud. Ychwanegwch y tatws, y brocoli a'r pupur rhost coch/melyn. Ychwanegwch 4 cwpanaid o stoc, rhoi caead ar y sosban a'i fudferwi am 20 munud heb gaead. Yna ychwanegwch y pys a'r corn melys a choginio am 5 munud. Tynnwch lond llwy o'r llysiau allan o'r cawl, yna cymysgwch weddill y cawl gyda chymysgydd llaw. Rhowch y llysiau'n ôl yn y cawl ac ychwanegu'r llaeth a'r hufen. Sesnwch yn dda gyda halen a phupur fel y dymunwch, ychwanegu'r teim a chymysgu'r cyfan.

Gweinwch gyda phersli ffres a mwy o bupur du.

Vegetable soup

In Italy, carrot soup was very popular in schools and nurseries and also in the supermarkets. The children all took to it and I started making it regularly at home, but also sneaking in other veggies that were hanging around. Potatoes add a richness to it and a heartier texture, but also the peppers, peas and sweetcorn bring out the sweetness in the carrots. It's a delicious option for using up veggies, getting your five a day and using your homemade stock! (Waste not want not!

Peel and dice the potatoes into small cubes. Cut up your onion, broccoli, courgette, celery and carrots the same size and mince 2 cloves of garlic. In a large saucepan sweat down the onions, carrots, celery and courgette in a little oil and butter until soft. Season well, then add the garlic and cook for a minute. Add in the broccoli and the red/yellow roasted peppers. Add 4 cups of stock, leave the lid off and simmer for 20 minutes. Then add the peas and sweetcorn and cook for 5 minutes with the lid off. Take out a few slotted spoonfuls of veg then blend the remaining soup with a hand blender. Return the chunky veg to the soup and add the milk and cream and mix. Season well to taste and stir in the chopped thyme leaves.

Finish off with fresh parsley and more black pepper to serve.

Serves 8

2 medium potatoes

1 onion

1 courgette

1 celery stalk

3 carrots

2 cloves of garlic

5 broccoli florets

2 tbsp of oil

20g of butter

Salt & pepper

Roasted red/yellow peppers from a jar

800ml of stock (fresh or made from 2 chicken or veg stock cubes)

160g of frozen peas

160g of frozen sweetcorn

150ml of milk

150ml of double cream

2 tbsp of fresh thyme

2 tbsp of fresh parsley

Cyrri blodfresych

Mae cyrris yn boblogaidd iawn yng Nghymru fel trît têc-awê. Roedd yna ddigon o ddewis yn Llundain ond yn yr Eidal do'n i ddim yn gallu dod o hyd i gyrris syml hyd yn oed, felly fe benderfynais i wneud fy nghyrri fy hun. Fe wnes i sylweddoli 'mod i'n gallu eu gwneud i siwto fy hun o ran y sbeisys a chymysgu pa bynnag gynhwysion o'n i moyn, gan ddefnyddio bwyd dros ben neu lysiau blasus. Fe allwch chi hefyd ei wneud yn rhad yn lle talu'n ddrud am dêc-awê, ac mae e'n rhewi'n dda fel y gallwch chi fwynhau pryd i'r teulu unrhyw bryd.

Os y'ch chi moyn malu eich sbeisys eich hun – tostiwch lond llwy fwrdd o goriander a hadau cwmin mewn bowlen, ac yna defnyddio teclyn i falu'r sbeisys yn bowdr a'u rhoi o'r neilltu.

Torrwch y blodfresych yn 'goed' bach a'u rhoi mewn bowlen gyda thipyn go lew o olew olewydd, cwmin, llond llwy de o halen, pupur du, powdr tsili (canolig neu boeth, yn dibynnu ar beth sy'n eich siwto chi) a phowdr cyrri, a chymysgu'r cyfan nes bod y blodfresych wedi'u gorchuddio â sbeisys. Rhowch nhw ar dun pobi o dan gril poeth iawn a chadwch lygad arno nes bod y blodfresych wedi duo, yna tynnwch y tun allan a'i roi o'r neilltu.

Yn yr un sosban, ychwanegwch y *ghee* neu'r olew i'r wynwnsyn wedi'i dorri a'r dail cyrri a'u coginio am tua 15 munud gydag ychydig o halen nes bod y wynwns yn feddal. Ychwanegwch y garlleg wedi'i falu, hanner tsili coch a'r sinsir wedi'i dorri'n fân a'u coginio am funud neu ddwy.

Yna rhowch y sbeisys mewn cwpan: cwmin, coriander wedi'i falu, powdr tsili, garlleg sych, pupur caián du (os y'ch chi'n hoffi bach o sbeis), ac ychwanegu hanner cwpan o ddŵr oer. Ychwanegwch hwn i'r wynwnsyn a choginio nes bod y dŵr bron â diflannu i gyd. Tynnwch y dail cyrri a chymysgu'r cyfan gyda chymysgydd llaw – fe allwch chi wneud mwy o'r past cyrri yma a'i gadw fel man cychwyn ar gyfer cyrris eraill.

Ychwanegwch y tomatos wedi'u torri a chymysgu eto. Rhowch y cyfan 'nôl ar y gwres ac ychwanegu'r llaeth cnau coco a'r sbinaets ifanc, wedi ei dorri, a'r blodfresych. Mudferwch nhw nes bod y blodfresych yn feddal ond bod ychydig o waith cnoi arnyn nhw o hyd. Gweinwch y cyrri gyda reis a'i addurno gyda llwyaid o iogwrt, pomegraned (opsiynol), coriander ffres wedi'i dorri a gwasgiad o leim.

Digon i 6

Olew
1 llwy fwrdd o gwmin wedi'i falu
Halen a phupur
1 llwy de o bowdr tsili
1 llwy de o bowdr cyrri
1 llwy fwrdd o *ghee*
1 wynwnsyn gwyn
2 ddeilen cyrri
2 ewin garlleg, wedi'u malu
½ tsili ffres
Darn maint bawd o sinsir, wedi'i dorri'n fân

Sbeisys i'r cyrri

1 llwy de o gwmin
1 llwy de o goriander wedi'i falu
1 llwy de o bowdr tsili
1 llwy de o arlleg sych
Pupur caián du (os y'ch chi'n hoffi bach o sbeis)
½ tun o domatos wedi'u torri
Llaeth cnau coco
Sbinaets ifanc
Coriander ffres

I'w weini

Reis, iogwrt, pomegraned (opsiynol), coriander ffres a leim

Cauliflower curry

Curries have become big in Wales as a takeaway treat. We were spoilt for choice in London, but in Italy I couldn't even find basic curries so I decided to make it myself. I realised I could make it to my taste and level of spice and mix any ingredients I wanted – using leftovers or by having a great vegetable option. Also, you can make it cheaply instead of splashing out on takeaways, and it freezes so well for a family meal anytime.

Serves 6

Cauliflower head

Oil

1 tbsp of ground cumin

Salt & pepper

1 tsp of chilli powder

1 tsp of curry powder

1 tbsp of ghee or oil

1 white onion

3 curry leaves

2 cloves of garlic, minced

½ a fresh chilli

A thumb-sized piece of ginger, finely chopped

Spices for curry

1 tsp of cumin

1 tsp of ground coriander

1 tsp of chilli powder

1 tsp of garlic granules

Black Cayenne pepper (if you like it spicy)

½ a tin of chopped tomatoes

1 tin Coconut milk

Baby spinach

Fresh coriander

To serve

Rice, yogurt, pomegranate (optional), fresh coriander and lime

Cut up your cauliflower into florets and pop into a bowl with a good glug of olive oil, cumin, a teaspoon of salt, black pepper, chilli powder (mild or hot depending on your spice preference) and curry powder, and toss around until well coated. Pop onto a baking tray and place under a very hot grill, keep an eye on it until the cauliflower is nicely charred, then remove and set aside.

In the same saucepan, add the ghee or oil to the diced onion and the curry leaves and cook for about 15 minutes with a little salt until the onions are nice and soft. Add your minced garlic, half a red chilli and finely chopped ginger and cook for a minute or two.

Then in a cup place your spices – cumin, ground coriander, chilli powder, garlic granules, black cayenne pepper (if you like it spicy) – and add cold water half way up the cup. Add to the onions and cook until the water has almost completely evaporated. Remove the curry leaves and blitz with a hand blender – this curry paste that you have created can be made in bigger batches and kept as your base paste for other curries.

Add the chopped tomatoes and blitz again. Place back on the heat and add the coconut milk and then the baby spinach, torn up, and the cauliflower. Simmer nicely until the cauliflower is soft but still has some texture and bite. Serve with rice and garnish with a dollop of yoghurt, pomegranate (optional), freshly chopped coriander and a squeeze of lime.

Bara naan

300g o fflŵr codi
½ llwy de o bowdr codi
150g o iogwrt naturiol
Halen
2 lwy fwrdd o ddŵr
1 llwy fwrdd o olew llysiau
Menyn i frwsio
Coriander

Cymysgwch y fflŵr, y powdr codi, yr iogwrt, yr halen a'r dŵr i greu toes. Tylinwch ar fwrdd gyda fflŵr nes bod y toes yn llyfn a'i rannu yn 4 darn bach. Rholiwch y toes yn gylchoedd gan ddefnyddio pìn rholio. Defnyddiwch olew llysiau i'w ffrio ar wres uchel am 1–2 munud ar bob ochr, yna'u brwsio gydag ychydig o fenyn wedi toddi ac ychwanegu mwy o halen a choriander wedi'i dorri.

Naan bread

300g of self-raising flour
½ tsp of baking powder
150g of natural yogurt
Salt
2 tbsp of water
1 tbsp of vegetable oil
Butter for brushing
Coriander

Mix the flour, baking powder, yogurt, salt and water and form into a dough. Knead on a floured surface until smooth and divide into 4 small pieces. Roll into ovals using a rolling pin. Use vegetable oil to fry on a high heat for 1–2 minutes on either side, and then brush with a little melted butter and add more salt and chopped coriander.

Nachos

Pan o'n i yn y brifysgol, weithiau fe fydden i a fy mêts oedd yn rhannu tŷ gyda fi yn dod at ein gilydd ac yn defnyddio beth bynnag oedd ar ôl gyda ni ar ddiwedd yr wythnos – fe fyddai rhywun yn dod â bach o gaws, rhywun arall yn dod â Doritos ac fel arfer fe fyddai tsili 'da fi dros ben. Fydden ni'n taflu'r cwbl gyda'i gilydd i wneud nachos – pryd perffaith i leino'r stumog cyn noson mas! Mae 'da fi atgofion gwych am fy nyddiau prifysgol a choginio gyda'r merched yn 42 Flora Street.

Digon i 8

1 llwy fwrdd o gwmin

1 llwy de o baprica

1 llwy de o bowdr tsili

Halen

1 llwy de o siwgr

1 tun o ffa Ffrengig neu ffa du

Olew

5 cwpan o weddillion y *ragu*

60g o fenyn

60g o fflŵr plaen

350ml o laeth

200g o gaws Cheddar

1 llwy de fawr o fwstard Cymreig neu Seisnig

2 fag o *nachos*

200g o *mozzarella* wedi'i gratio

200g o Red Leicester wedi'i gratio

Rhowch y sbeisys i gyd mewn bowlen gydag ychydig o halen, ychydig o siwgr ac ychydig o ddŵr i'w hailhydradu.

Ychwanegwch y ffa i'r sosban gydag ychydig o olew a'u cynhesu'n araf, yna ychwanegwch y sbeisys i'r dŵr. Gadewch iddyn nhw gynhesu nes bod y dŵr bron â diflannu ac ychwanegu'r *ragu*. Dewch â'r *ragu* i'r berw a gadael iddo aros ar wres isel.

Mewn sosban ar wahân, toddwch y menyn ar wres isel ac ychwanegu'r fflŵr i greu *roux*. Coginiwch e am funud i gael gwared o flas y fflŵr amrwd. Ychwanegwch y llaeth ychydig ar y tro, gan chwisgio bob tro i gael gwared o unrhyw lympiau, nes ei fod yn saws gwyn trwchus. (Os oes well 'da chi saws mwy tenau, yna ychwanegwch fwy o laeth.) Unwaith mae'r saws yn llyfn, a'r llaeth wedi mynd i gyd, ychwanegwch y caws, y mwstard a'r saws poeth fel y dymunwch. Trowch y gymysgedd nes bod y caws wedi toddi. Diffoddwch y gwres tra eich bod chi'n paratoi'r *nachos*.

Rhowch y *nachos* ar dun pobi gydag ychydig o saws caws fan hyn a fan draw, yna rhowch lond llaw o gaws *mozzarella* a Red Leicester wedi'u gratio dros y cyfan. Rhowch nhw o dan gril poeth am 2 funud nes i'r caws doddi. Tynnwch y tun allan ac ychwanegu llond llwy fawr o'r *ragu* tsili, rhowch fwy o *nachos* dros y cyfan, saws caws a chaws wedi'i gratio, yna rhowch nhw 'nôl o dan y gril. Gwnewch yr un peth eto, yn yr un drefn – *ragu* tsili, *nachos*, saws caws, caws wedi'i gratio – a'u rhoi o dan y gril am y tro olaf nes bod y top yn euraidd. Tynnwch y *nachos* allan a'u haddurno gyda beth bynnag chi moyn. Dwi wedi defnyddio shibwns, *jalapeños*, hufen sur, salsa tomato ffres a *guacamole*.

Mwynhewch!

Nachos

When I was at university, sometimes me and my housemates would get together and use what we all had left at the end of the week – someone bringing a bit of cheese, someone else bringing some Doritos and I would usually have a chilli left over. We would throw it all together to make nachos as a perfect pre-night out stomach-liner! I have nothing but fantastic memories of university and cooking together with the girls at 42 Flora Street.

Serves 8

1 tbsp of cumin

1 tsp of paprika

1 tsp of chilli powder

Salt

1 tsp of sugar

1 tin of kidney beans or black beans

Oil

5 cups of leftover ragu

60g of butter

60g of plain flour

350ml of milk

200g of Cheddar cheese

heaped tsp mustard Welsh or English mustard to taste

2 bags of nachos

200g of grated mozzarella

200g of grated Red Leicester

Put all your spices in a bowl with some salt, a little sugar and a little water just to rehydrate the spices.

Add the beans to a saucepan with a little oil and heat up gently, then add the spices in water. Allow to heat up until the water has almost gone completely and then add the ragu. Bring to the boil and allow to sit on a low heat.

In a separate saucepan, melt the butter on a low heat and then add the flour creating a roux. Cook this for a minute to get rid of the the raw flour taste. Then, bit by bit, add in the milk, whisking each time to remove any lumps until you have a thick white sauce. (If you want a thinner sauce you can add more milk.) When it's nice and smooth and all the milk has gone add the cheese, mustard, and hot sauce to taste. Stir until all the cheese has melted. Turn off the heat while you assemble your nachos.

Place your nachos on a baking tray and dollop a little of the cheese sauce here and there, then sprinkle over a handful of grated mozzarella and Red Leicester. Place under a hot grill for 2 minutes until melted. Remove from the grill and add a generous ladle of the chilli ragu, scatter over some more nachos, cheese sauce and grated cheese and then place under the grill again. Remove and repeat one final time in the same order – chilli ragu, nachos, cheese sauce and grated cheese, and then place under the grill for the final time until lightly golden on top. Remove and garnish with whatever you fancy. I have used spring onions, jalapeños, sour cream, fresh tomato salsa and guacamole.

Tuck in!

Enchiladas

Dyma ffordd hwyliog o ddefnyddio ragu teuluol, traddodiadol a chysurlon a'i drawsnewid gyda blasau ffrwydrol Mecsico. Fe allwch chi ddefnyddio'r llenwad yma fel tsili gyda reis os y'ch chi ddim eisiau cynnwys y wraps. Gyda'r saws caws mae'n creu plataid o fwyd bendigedig i'w rannu sy'n llawn blas ac ansawdd hyfryd.

Cynheswch y ffwrn i 180°C Ffan.

Mewn sosban, cynheswch y ffa ar wres isel i ganolig gan wneud yn siŵr eich bod yn defnyddio'r sudd yn y tun i gyd. Ar ôl iddyn nhw gynhesu, ychwanegwch y sbeisys a 2 lwy fwrdd o ddŵr – bydd hyn yn stopio'r sbeisys rhag llosgi a choginio yn rhy gyflym. Unwaith y bydd y dŵr wedi tewhau ychwanegwch y *ragu*. Trowch y cyfan a'i gynhesu. Ychwanegwch y reis oer wedi ei goginio a'i gynhesu. Gadewch i'r gymysgedd oeri ychydig cyn llenwi'r *wraps*.

Yn y cyfamser, mewn sosban fach, toddwch y menyn ac ychwanegu'r fflŵr a'i goginio ar wres isel am 2–3 munud. Yna ychwanegwch y llaeth ychydig ar y tro a chwisgio'n dda bob tro i greu saws gwyn trwchus. I mewn â'r caws a choginiwch y saws nes ei fod yn drwchus a'r caws wedi toddi. Ychwanegwch fwy o laeth os oes angen. Ychwanegwch sblash neu ddau o saws poeth ac ychydig o fwstard; bydd y math o fwstard yn dibynnu arnoch chi – mae mwstard Cymreig ac Americanaidd yn flasus ond dewiswch chi. Sesnwch gyda halen a phupur fel y dymunwch.

Llenwch ganol y *wrap tortilla* gyda 2–3 llwy fwrdd o lenwad, gan gau pob pen i'r *wrap*. Rhowch y *wraps* i gyd nesaf at ei gilydd mewn dysgl addas ar gyfer y ffwrn. Arllwyswch y saws trwchus dros y *wraps* a'u gorchuddio'n dda â'r flanced gaws. Rhowch nhw yn y ffwrn am 25–30 munud nes bod y caws yn euraidd a'r llenwad yn gynnes. Gweinwch nhw gydag ychydig o iogwrt, salsa a sudd leim siarp, ynghyd â tsilis *jalapeño* ychwanegol os y'ch chi'n hoffi sbeis, a choriander ffres. Gweinwch yr *enchiladas* gyda salad ffres blasus.

Digon i 2

- Tun/pecyn o ffa du wedi'u coginio neu ffa Ffrengig
- 1 llwy fwrdd o gwmin
- 1 llwy fwrdd o bowdr tsili
- 1 llwy de o baprica
- 1 llwy de o arlleg sych
- 1 llwy de o ddarnau tsili
- Pinsiad o siwgr
- 2 fŵg o *ragu* sydd dros ben
- Pecyn o reis basmati wedi'i goginio
- 60g o fenyn hallt
- 60g o fflŵr
- 350ml o laeth cyflawn, ar dymheredd y stafell
- 2 lond llaw o gaws Cheddar wedi'i gratio
- Sblash o saws poeth
- 1 llwy de o fwstard
- Halen a phupur
- *Wraps tortilla* mawr

I addurno

- Iogwrt Groegaidd/hufen sur
- Salsa tomato ffres
- Darnau o leim
- *Jalapeños* wedi'u piclo
- Coriander ffres, wedi'i dorri

Enchiladas

What a fun way to take the comforting traditional family ragu and awaken it with the lively explosive flavours of Mexico. You can use this filling as chilli with rice if you don't want to do the wraps. Along with the cheese sauce this creates a lovely sharing plate of food bursting with flavour and texture.

Serves 2

Tin/sachet of refried black beans or kidney beans

1 tbsp of cumin

1 tbsp of chilli powder

1 tsp of paprika

1 tsp of garlic granules

1 tsp of chilli flakes

Pinch of sugar

2 mugs of leftover ragu

Packet of cooked basmati rice

60g of salted butter

60g of flour

350ml of whole milk, room temperature

2 handfuls of grated Cheddar cheese

A splash of hot sauce

1 tsp of mustard

Salt & pepper

Large tortilla wraps

Garnish

Greek yogurt/sour cream

Fresh tomato salsa

Lime wedges

Pickled jalapeños

Fresh coriander, chopped

Baby spinach

Fresh coriander

Preheat oven to 180°C Fan.

In a saucepan, heat the beans on low to medium making sure you use all the juice in the tin. When warm, add the spices and 2 tablespoons of water – this stops the spices from burning and cooking too quickly. When the water has become thick, add the ragu. Stir and warm through and then add the cold cooked rice. Warm it through then turn it off. Allow the mixture to cool slightly in order to fill the wraps.

Meanwhile, in a small saucepan melt the butter then add the flour and cook on a low heat for 2–3 minutes. Then little by little add the milk, whisking well between additions to create a thick white sauce. Add the cheese and cook until thick and the cheese is melted. Add more milk if needed. Add a few splashes of hot sauce and a little mustard; the type of mustard depends on your taste – American or Welsh work well but any are nice. Season to taste.

Fill the centre of a tortilla wrap with 2–3 tablespoons of filling, close both ends and wrap up. Place all wraps in a line in an oven dish. Pour over the thick cheese sauce, covering the wraps well like a cheese sauce blanket. Pop in the oven for 25–30 minutes until the cheese has a nice golden colour and the filling is warmed through. Serve with some yogurt, salsa and sharp lime juice along with extra jalapeño chillies if you like it spicy, and fresh coriander. Serve with a nice fresh salad.

Cinio i un

Lunch for one

Shashuka

Dyma ginio iach sy'n llenwi'r bola ac sydd hefyd yn rhesymol iawn. Y tro cyntaf i mi weld shashuka wy oedd fel brecwast pan o'n i ar wyliau yn Sbaen ac fe deithiodd y rysáit adre gyda fi. Dwi wedi bod yn ei fwynhau byth ers hynny. Dwi'n defnyddio caws feta a sbinaets i ychwanegu bach o faeth ac i greu gwahanol haenau o flasau. Beth am roi cynnig arno fel brecwast, brunch neu ginio!

Digon i 1-2

Pecyn o *feta*

1 llwy fwrdd o iogwrt

Gwasgiad o fêl

Llond llaw o sbinaets ifanc

Halen a phupur

Olew

Puprod wedi'u rhostio mewn jar

4 llwy fwrdd o *passata*

1 llwy fwrdd o siwgr neu fêl

1 llwy fwrdd o besto/past tomato heulsych

2 wy

2 lwy fwrdd o bersli wedi'u torri'n fân

2 lwy fwrdd o sifys wedi'u torri'n fân

Cynheswch y gril i wres uchel.

Cymysgwch hanner y *feta* mewn cymysgydd bwyd gyda'r iogwrt nes eu bod yn llyfn fel caws hufennog y mae modd ei daenu. Yna gwasgwch ychydig o fêl i'r gymysgedd. Taenwch y cyfan ar hyd gwaelod ffreipan fach gyda chaead.

Tynnwch y coesau oddi ar y sbinaets a gadael iddo wywo mewn ffreipan sych. Tynnwch y ffreipan oddi ar y gwres a'i ychwanegu at y *feta* llyfn gydag ychydig o halen a phupur. Cynheswch ychydig o olew (olew tsili os y'ch chi'n hoffi sbeis) yn yr un ffreipan a ddefnyddiwyd i wywo'r sbinaets. Yna ychwanegwch y puprod wedi'u rhostio, wedi eu torri, y *passata* a llond llwy fwrdd o siwgr neu fêl. Ychwanegwch y pesto neu'r past tomato heulsych ac ychydig o halen. Arllwyswch y cyfan dros y sbinaets a'r *feta*.

Gwnewch ddau dwll bach ar y gwaelod a thorri 2 wy i mewn iddyn nhw. Rhowch gaead ar y ffreipan i bobi yr wyau am 2 funud neu nes bod yr wyau wedi coginio fel ydych chi'n dymuno, yna tynnwch y ddysgl allan a briwsioni'r mymryn o gaws *feta* sy'n weddill dros ben y cyfan. Addurnwch gyda phersli a sifys, pupur du, ychydig o fêl ac olew neu ddarnau tsili, os y'ch chi moyn.

Mwynhewch y *shashuka* gyda digonedd o dost crensiog.

Egg shashuka with feta

This is a healthy and hearty lunch option which is cheap and cheerful. I first saw egg shashuka on holiday in Spain as a breakfast option, and it has travelled home with me and been enjoyed ever since. I added the feta cheese and spinach for extra goodness and to create layers of flavour. Give it a try for breakfast, brunch or lunch!

Blitz half the feta in a food processor with the yogurt until it is smooth like spreadable cream cheese. Then add a squeeze of honey. Spread over the bottom of a small frying pan with a lid.

Take the stalky bits off your spinach before wilting in a separate dry pan. Remove and add to the feta spread with a little salt and pepper. Heat a little oil in the same pan as you wilted the spinach (chilli oil if you like a bit of spice), then add the chopped up roasted pepper, passata and a tablespoon of sugar or honey. Add the sun-dried tomato pesto or paste and a little salt. Pour over the spinach and feta.

Make two little wells and then crack two eggs into them. Lid on for two minutes and then remove, using a small bit of the remaining feta cheese to crumble on top. Garnish with parsley and chives, black pepper, a drizzle of honey and some chilli oil or flakes if you like.

Enjoy with plenty of crunchy toast.

Serves 1-2

Pack of feta

1 tbsp of yogurt

A squeeze of honey

A handful of baby spinach

Salt & pepper

Oil

Ready roasted peppers in a jar

10 tbsps of passata

1 tbsp of sugar or honey

1 heaped tbsp of sun-dried tomato pesto/paste

2 eggs

2 tbsps of chopped parsley

2 tbsps of chopped chives

Wrap wy

Dyma ginio blasus sy'n gyflym i'w baratoi ac yn uchel mewn protin. Perffaith ar gyfer rhai sy'n ceisio sicrhau eu bod yn bwyta digon o brotin ac sy'n dilyn deiet isel mewn carbohidrad. Mae'n bryd blasus ac ysgafn ond yn sicr o lenwi'r bol ac fe fyddwch yn teimlo'n llawn ar ei ôl.

Digon i 1

- Llond llaw o fadarch *porcini* sych
- 250ml o ddŵr
- 2 lond llaw o fadarch cymysg
- Olew
- 2 lwy fwrdd o gaws hufennog
- Llond llaw o sbinaets ifanc
- Halen a phupur
- 3 wy, wedi'u curo
- Persli ffres

Mwydwch y madarch sych mewn llond mẁg o ddŵr a gadael iddyn nhw drwytho am 10 munud. Unwaith iddyn nhw feddalu, tynnwch y madarch allan a'u torri nhw'n fân, gan gadw dŵr y madarch. Torrwch y madarch ffres. Cynheswch ychydig o olew mewn ffreipan fach a ffrio'r madarch ffres ar wres canolig. Unwaith iddyn nhw goginio, ychwanegwch y madarch wedi'u hydradu a'u torri'n fân ynghyd â dŵr y madarch a'u coginio ar wres uchel nes bod yr hylif wedi lleihau i'r hanner. Yna ychwanegwch y caws hufennog a'r sbinaets wedi'i dorri a'i sesno gyda halen a phupur fel y dymunwch. Tynnwch e oddi ar y gwres a'i roi o'r neilltu i oeri ychydig.

Torrwch yr wyau i mewn i fowlen a'u curo a sesno gyda halen a phupur. Mewn ffreipan fach ychwanegwch ychydig o olew, gan wneud yn siŵr i chi iro'r ffreipan yn iawn, a'i rhoi ar wres isel. Ychwanegwch yr wyau a'u twymo'n araf, a rhowch y caead ar ben y ffreipan i greu *wrap* o'r wy. Ychwanegwch ychydig o'r llenwad a phlygu'r wy drosodd. Yn ofalus, defnyddiwch sbatwla i symud yr wy i blât ar gyfer ei weini. Addurnwch gyda phersli ffres.

Egg wrap

This is a quick and delicious high-protein lunch option – perfect for those who are trying to reach their protein targets and are on a low-carb diet. It's tasty and satisfyingly light and is sure to keep you full.

Serves 1

A handful of dried porcini mushrooms

250ml of boiling water

2 handfuls of mixed mushrooms

Oil

2 tbsp of cream cheese

A handful of baby spinach

Salt & pepper

3 eggs, whisked

Fresh parsley

Soak the dried mushrooms in a mug of boiling water and allow to brew for 10 minutes. Once they have softened remove the mushrooms and chop them finely, keeping the mushroom liquid. Chop up the fresh mushrooms. Heat a little oil in a small frying pan and fry the fresh mushrooms on a medium heat. Once cooked, add the finely chopped rehydrated mushrooms and the liquid and cook on a high heat until the liquid has reduced by half. Then add in the cream cheese and torn-up baby spinach and season with salt and pepper to taste. Remove and set aside to cool slightly.

Crack the eggs into a bowl and whisk. In a small frying pan add a little oil, making sure the pan is well coated, and place on a low heat. Add the eggs and warm through slowly, adding a lid to create an egg wrap. Add a little of the filling and fold over the egg. Gently use a spatula to transfer to a serving plate. Finish with fresh parsley.

Burrata, corbys a thatws melys

Ddes i ar draws burrata ar ôl symud i'r Eidal ac mae e wedi newid fy mywyd! Mozzarella yw burrata, sydd wedi ei lenwi gyda chymysgedd o ddarnau mozzarella a hufen dwbwl. Mae e'n wallgo o foethus ac yn flasus dros ben. Trît a hanner i ginio! Gyda blas priddlyd sawrus y corbys a melyster y tatws, mae'r cyfan yn cyfuno i greu cinio hyfryd a llawn cydbwysedd.

Digon i 1

1 daten felys fawr

Olew

Halen a phupur

1 llwy de o arlleg sych

Sialóts

2 ewin garlleg wedi'u malu

Corbys gwyrdd wedi'u coginio

Caws *burrata*

Finegr balsamaidd wedi ei leihau/*glaze*

Basil ffres

Persli ffres

Olew/darnau tsili (opsiynol)

Cynheswch y ffwrn i 180°C Ffan.

Pliciwch y daten felys a'i thorri'n ddarnau. Rhowch nhw mewn bowlen a'u gorchuddio ag 1 llwy fwrdd o olew olewydd, halen a phupur a garlleg wedi'i falu. Rhowch nhw mewn tun pobi a'u rhostio yn y ffwrn am 20–25 munud.

Rhowch ychydig o olew mewn ffreipan a ffrio'r sialóts am 1 munud ar wres cymedrol cyn ychwanegu'r corbys wedi'u coginio. Coginiwch am ychydig funudau nes iddyn nhw dwymo trwyddynt ac ychwanegu halen fel y dymunwch.

Unwaith mae'r tatws melys wedi coginio, gweinwch nhw ar blât gyda'r corbys a'r *burrata* wedi ei dorri. Ychwanegwch ychydig bach o finegr balsamaidd a sgeintio basil a phersli wedi'i dorri dros y cyfan. Ychwanegwch olew neu ddarnau tsili at eich pryd os ydych chi'n hoffi bach o sbeis.

Burrata, lentils and sweet potato

Burrata is something I found when I moved to Italy and it changed my life! Burrata is mozzarella which has been filled with a mix of torn up mozzarella and double cream. It's absolutely insanely luxurious and delicious. Such a treat for lunch! Paired with the earthy savouriness of the lentils and the sweetness of the potato it comes together as a well-balanced tasty lunch.

Serves 1

1 large sweet potato

Oil

Salt & pepper

1 tsp of garlic granules

Shallots

2 garlic cloves, minced

Pre-cooked green lentils

Burrata cheese

Balsamic vinegar reduction/glaze

Fresh basil

Fresh parsley

Chilli flakes/oil (optional)

Preheat oven to 180°C Fan.

Peel the sweet potato and cut into wedges. Toss in a bowl with 1 tablespoon of olive oil, salt and pepper and garlic granules. Place on a baking tray and roast in the oven for 20-25 minutes.

In a frying pan, add some olive oil and fry the shallots and garlic for 1 minute on a medium heat before adding the pre-cooked lentils. Cook for a few minutes until they are warmed through and season with salt.

Once the sweet potato is cooked, plate up with the lentils and top with the burrata torn apart. Drizzle with balsamic glaze and sprinkle over some fresh basil and chopped parsley. Chilli oil or flakes also work well with this dish if you like a little bit of spice.

Ramen

Mae'r rhestr o bethau i'w gwneud yn un hir amser cinio! Mae ramen yn dod at ei gilydd yn glou. Mae'n eich llenwi gyda'i gynhesrwydd a'i haenau o flasau a sbeisys. Cic y tsili a nodyn sur y leim i'w gadw'n ffres ac yn ysgafn cyn bwrw 'mlaen â'ch diwrnod prysur. Fe allwch chi drwco'r corgimychiaid am wy, tofu neu brotin arall. O'i adael yn bryd llysieuol fe allwch ei baratoi mewn Tupperware ar gyfer diwrnod yn y gwaith – rhowch y cynhwysion mewn bowlen Tupperware ac ychwanegu'r stoc poeth amser cinio!

Digon i 1

1 darn o sinsir maint bawd wedi'i gratio

1 ewin garlleg wedi'u gratio

Llond llaw/6–7 corgimwch

Olew sesame/olewydd

1 foronen wedi'i philio (llond llaw)

½ *bok choy*

1 nyth o nŵdls reis sych

Lemonwellt

2 lwy fwrdd o bast miso gwyn

2 lwy fwrdd o bast *gochujang*

375ml o dashi neu stoc (nid stoc cig eidion)

I addurno

Shibwns

Coriander ffres wedi ei dorri'n fân

Tsili ffres

Hadau sesame

½ leim

Yn gyntaf, cymysgwch y sinsir a'r garlleg a'u rhoi mewn bowlen gyda'r corgimychiaid ac 1 llwy fwrdd o olew. Gadewch iddyn nhw fwydo yn y marinâd am 15–20 munud. Piliwch y moron yn ddarnau tenau gan ddefnyddio piliwr llysiau a rhannwch ddail y *bok choy*.

Rhowch un nyth o nŵdls reis sych mewn bowlen a'u gorchuddio â dŵr berw am 3 munud, yna gwaredwch y dŵr.

Cynheswch y ffreipan neu'r woc i wres canolig/uchel. Ychwanegwch 1 llwy fwrdd o olew sesame a'r *bok choy* am tua 30 eiliad, ei sesno gyda halen a phupur, yna rhoi'r dail o'r neilltu yn barod i addurno. Yna ychwanegwch y corgimychiaid i'r ffreipan gyda'r sinsir a'r garlleg a'r lemonwellt. Tro-ffrïwch nes bod y corgimychiaid yn binc ar y ddwy ochr, yna i mewn â'r moron, y past miso a'r *gochujang* a'u troi am ryw 30 eiliad. Ychwanegwch y dashi neu'r stoc a throi nes i'r past ddiflannu a chreu *ramen* cyfoethog. Ychwanegwch y nŵdls reis a'u cynhesu am funud. Gwaredwch y lemonwellt a blasu – os ydych chi eisiau cic hallt yna ychwanegwch sblash o saws soi.

Gweinwch y *ramen* mewn bowlen ac ychwanegu'r *bok choy* wedi gwywo, shibwns, coriander ffres wedi ei dorri, tsili ffres os ydych chi'n dymuno, hadau sesame a gwasgiad o leim ffres.

Ramen

Lunchtime and the to-do list is long! This ramen comes together so quickly. It fills you up with its warmth, layers of flavour and comforting spices. A kick from the chilli and a zing from the lime to keep it fresh and light before getting on with your busy day. The prawns are easily swapped for egg, tofu and other proteins. Left as a veggie dish this is a recipe you can prepare in Tupperware for a day at work – place the ingredients in a Tupperware bowl and add your hot stock to it at lunchtime!

Serves 1

1 thumb sized piece of ginger, grated

2 garlic cloves, grated

A handful/6–7 prawns

Sesame/olive oil

1 carrot, peeled (a handful)

½ a bok choy

1 nest of dried rice noodles

Lemongrass

2 tbsp of white miso paste

2 tbsp of gochujang paste

375ml of dashi or stock (not beef)

Garnish

Spring onions

Chopped fresh coriander

Fresh chilli

Sesame seeds

½ a lime

First, mix the ginger and garlic and throw into a bowl with the prawns and 1 tablespoon of oil. Allow to marinate for 15–20 minutes. Peel the carrot thinly into ribbons using a vegetable peeler and separate the bok choy.

Place one nest of dried rice noodles in a bowl and cover with boiling water for 3 minutes, then remove the water.

Heat a frying pan or a wok on a medium to high heat. Add 1 tablespoon of sesame oil and the bok choy for about 30 seconds, season and then remove and set aside for garnish. Then add the prawns to the pan along with the ginger and garlic and the lemongrass. Stir-fry until the prawns are pink on both sides, then in with the carrots, the miso and gochujang paste and give it a little stir for 30 seconds. Then add the dashi or stock and stir until the pastes have dissolved, creating a rich ramen. Add the rice noodles and heat them through for a minute. Remove the lemongrass and taste.

Serve in a bowl topped with the wilted bok choy, fresh spring onions, chopped coriander, fresh chilli if you like, some sesame seeds and a squeeze of fresh lime.

Orzo gyda mecryll

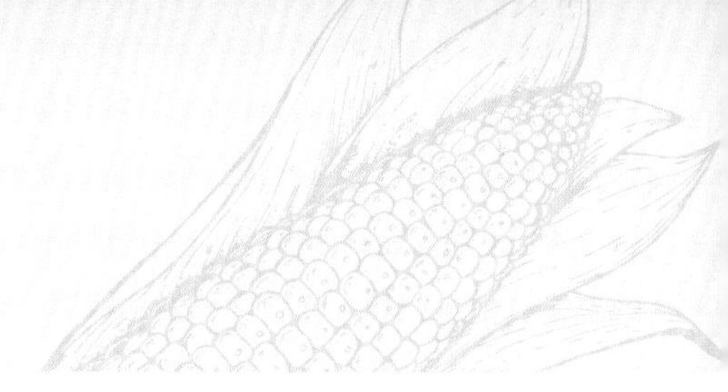

Digon i 1

1 ciwb o stoc cyw iâr

150g o basta *orzo*

1 deilen lawryf

Olew olewydd ar gyfer ffrio

1 corn melys ar y cob

Menyn ar gyfer ffrio

1 gorbwmpen, wedi'i thorri'n ddarnau bach

1 sialót, wedi'i dorri'n fân

2 ewin garlleg wedi'u torri'n fân

Halen a phupur

Sifys wedi'u torri'n fân

Sudd ½ lemon

Basil ffres, wedi'i dorri'n fân

1 ffiled o facrell wedi'i choginio'n barod, wedi ei rhwygo

Toddwch y ciwb stoc cyw iâr mewn sosban o ddŵr berw gan ychwanegu'r *orzo* a deilen lawryf. Coginiwch yr *orzo* yn ôl y cyfarwyddiadau ar y pecyn, tua 10 munud.

Tra ei fod yn coginio, cynheswch ychydig o olew mewn ffreipan ar wres uchel i dduo pob ochr i'r corn ar y cob nes bod lliw da arno. Peidiwch â phoeni os yw'n llosgi tamaid bach, fe fydd hyn yn ychwanegu at y blas. Rhowch e o'r neilltu i oeri.

Yn yr un ffreipan, trowch y gwres i lawr i wres canolig/isel ac ychwanegu 1 llwy fwrdd o olew ac ychydig o fenyn a ffrio'r gorbwmpen wedi'i thorri. Ar ôl 2–3 munud ychwanegwch y sialót wedi'i dorri'n fân ac ewin garlleg (ychwanegwch fwy o arlleg os y'ch chi'n un sy'n hoffi lot o arlleg, fel fi). Pan fydd yr *orzo* wedi coginio fel y'ch chi'n ei hoffi, draeniwch e'n syth i'r ffreipan gyda'r garlleg, yr wynwns a'r gorbwmpen. Trowch y cyfan a'i sesno gyda halen a phupur. Torrwch y corn oddi ar y cob gyda chyllell finiog (gwyliwch eich bysedd, a sleisiwch i ffwrdd oddi wrth y corff). Ychwanegwch y corn at yr *orzo*.

Ychwanegwch y sifys a gwasgu ychydig o sudd lemwn i mewn, yna trowch y cyfan yn dda a'i roi ar blât. Addurnwch gyda'r mecryll wedi rhwygo a basil ffres wedi'i dorri.

Orzo with mackerel

Dissolve the chicken stock cube in boiling water in a saucepan and add the orzo and bay leaf, cooking the orzo according to the packet instructions, about 10 minutes.

While this is cooking, heat some oil in a frying pan on high and char all sides of the corn on the cob to get a nice colour – don't worry if it catches a bit and goes black, this adds to the flavour. Set aside to cool.

In the same frying pan, turn the heat down to medium/low and add 1 tablespoon of oil and a little butter and fry the chopped courgette. After 2–3 minutes add the finely chopped shallots and garlic cloves (feel free to add more garlic if you like it a lot, like me). When the orzo is cooked to your liking drain and add straight into the pan with the garlic, onions and courgettes. Stir through and season well with salt and pepper. Slice the corn off the cob with a sharp knife (mind your fingers and slice away from yourself). Add this to the orzo.

Throw in the chives and squeeze over some lemon juice, give a nice stir and plate up. Top with shredded mackerel and freshly chopped basil.

Serves 1

1 chicken stock cube

150g of orzo pasta

1 bay leaf

Olive oil for frying

1 corn on the cob

Butter for frying

1 courgette, cut into small cubes

1 shallot, finely chopped

2 garlic cloves, finely chopped

Salt & pepper

Chopped chives

Juice of ½ a lemon

Chopped fresh basil

1 fillet of pre-cooked mackerel, shredded up

Bwyd ffansi pants

Fancy pants food

Spaghetti alle vongole

Ddechreuodd e pan o'n i'n 7–8 oed yn mynd i'r farchnad yng Nghaerdydd gyda Mam. Ro'n i'n mwynhau prynu cregyn gleision neu gregyn bylchog ffres gan y gwerthwr pysgod a pherslysiau ffres hyfryd o'r siop lysiau, a mynd 'nôl i Abertridwr ar y trên a pharatoi bowlen fawr o fwyd môr bendigedig a'i fwyta gyda bara crystiog! Dwi mor ddiolchgar i Mam am adael i mi drio bwyd môr fel hyn o oedran ifanc. Sbageti a chregyn bylchog yw fy hoff swper olaf i! Mae'n berffaith.

Ar ôl i chi brynu'r cregyn bylchog a dod â nhw adre, golchwch nhw mewn colandr sawl gwaith, i gael gwared o unrhyw dywod ac ati. Yna rhowch nhw yn yr oergell mewn dŵr tap gyda llond llwy fwrdd o halen. Gwaredwch unrhyw gregyn sydd wedi cracio neu gregyn sydd ddim yn cau ar ôl i chi eu tapio nhw.

Berwch sosban fawr o ddŵr a halen ac ychwanegu'r sbageti.

Yn y cyfamser, mewn sosban fawr, ychwanegwch ychydig o olew a menyn a'r sialóts wedi eu torri'n fân a'r garlleg wedi'i falu. Pan mae'r sbageti wedi hanner coginio (tua 4 munud) cynyddwch y gwres ar gyfer y sialóts a'r garlleg nes ei fod yn uchel iawn. Unwaith mae'r sialóts yn ffrwtian ychwanegwch y cregyn bylchog, gan godi'r gwres eto, yna ychwanegwch y gwin gwyn. Rhowch y caead ar y sosban a gadael i'r cyfan ferwi am 3 munud. Tynnwch y caead a gadewch iddo ferwi am 3 munud arall tra eich bod yn draenio'r sbageti. Yna, ychwanegwch y sbageti i'r sosban gyda'r cregyn bylchog a rhowch siglad dda i gymysgu'r cyfan ac er mwyn i'r sbageti amsugno'r sudd ar y gwaelod. Ychwanegwch ddigon o bersli wedi'i dorri a throad o halen a phupur du. Wrth weini, defnyddiwch lwy i wneud yn siŵr eich bod yn rhoi digonedd o'r sudd o waelod y sosban dros y cyfan. Mae hwn yn bryd perffaith i ddau.

Pwysig – cofiwch gael gwared o'r cregyn bylchog sydd heb hagor.

Digon i 2

200g o sbageti

Menyn

Olew

1 sialót wedi'i dorri'n fân

2–3 ewin garlleg wedi'u malu

500g o gregyn bylchog

Glased mawr o win gwyn

Persli ffres wedi'i dorri

Halen

Pupur du

Spaghetti alle vongole

It started when I was around 7–8 years old going to Cardiff market with my mum and enjoying buying fresh mussels or clams from the fishmonger and some beautiful fresh herbs from the greengrocer, and heading back to Abertridwr on the train and preparing a big bowl of beautiful shellfish then tucking in with crusty bread! I'm so grateful my mum allowed me to try seafood this way from such a young age and spaghetti with clams is my favourite last supper meal! It's just perfection.

Serves 2

200g of spaghetti

Butter

Oil

1 shallot, finely chopped

2/3 garlic cloves, crushed

500g of clams

Large glass of white wine

Parsley

Salt

Black pepper

When you have bought your beautiful clams and brought them home, wash them in a colander a few times to remove any sand etc. and then store them in the fridge in some tap water with a tablespoon of salt. Remove any cracked shells or shells that do not close when they are tapped.

Put a large pan of salted water on to boil and add your spaghetti.

Meanwhile in a large saucepan, add some oil and butter and the finely chopped shallots and minced garlic ready to fry. When the spaghetti is half way through cooking (around 4 minutes), raise the temperature of the shallots and garlic to a very high heat. Once the shallots are frying nicely add the clams, allow the temperature to rise again and then add the white wine. Pop the lid on and allow to boil for 3 minutes. Remove the lid and allow to bubble for a further 3 minutes while you drain the spaghetti. Then add the spaghetti into the pan with the clams and give it a shake and a mix so the spaghetti absorbs the juices at the bottom. Throw in a generous amount of chopped parsley and a twist of salt and black pepper. Serve up, making sure to spoon over plenty of the liquid at the bottom of the pan. This is a perfect meal for two.

Important – discard any clams that are unopened.

Crudo eog

Fel merch o Gaerffili, wnes i ddim trio sushi nes 'mod i dipyn yn hŷn. Ar ôl symud i Lundain wnes i ddarganfod rhai o'r bwytai sushi gorau ac ro'n i'n ddigon lwcus i brofi rhai o'r bwydlenni sushi mwyaf blaengar yn y byd. Wnes i gwympo mewn cariad gyda ffresni prydau fel ceviche. Mae'r eog yma'n debyg iawn ac yn ffordd o greu pryd bwyd o safon uchel adre – pryd syml i wneud argraff ar eich ffrindiau a'ch teulu, un sy'n edrych yn ffansi ond sy'n rhwydd iawn mewn gwirionedd!

Digon i 2

Cynhwysion y saws

1 sialót

1 llwy fwrdd o *capers* wedi'u torri'n fân

3 sbrigyn o dil (a mwy i addurno)

1 llwy fwrdd o sifys, wedi'u torri

1 llwy fwrdd o saws Worcester

1 llwy fwrdd o sudd lemwn

4 llwy fwrdd o olew olewydd o safon uchel

1 llwy fwrdd o saws *horseradish*

2–3 llwy fwrdd o *mayonnaise* neu *wasabi*

Halen a phupur

Eog ar gyfer *sushi*/eog mwg

Ciwcymbr, wedi'i dorri'n denau

Mewn bowlen, cyfunwch y cynhwysion ar gyfer y saws a'u cymysgu'n dda. Cymysgwch 1 llwy fwrdd o *horseradish* neu *wasabi* gyda 2–3 llwy fwrdd o *mayonnaise* a'i sesno gyda halen a phupur. Rhowch y saws o'r neilltu.

Rhowch y ciwcymbr wedi ei dorri ar blât gyda sleisys o *sushi* eog neu eog mwg ar ei ben. Rhowch y saws mewn siâp cylch dros yr eog. Addurnwch gyda mwy o dil a'i weini gyda *mayonnaise* ar yr ochr neu wedi ei ddiferu ar ei ben.

Mwynhewch.

Salmon crudo

As a girl from Caerphilly, I didn't try sushi until I was much older. When I moved to London I discovered some of the best sushi restaurants and was lucky enough to taste some leading sushi menus all over the world. I fell in love with the freshness of dishes like ceviche. This is a similar dish and a way of creating a fine dining experience at home. Something simple that can wow your friends and family and that looks super fancy but is actually super simple.

In a bowl, combine all the sauce ingredients and give them a good mix. Mix a tablespoon of horseradish or wasabi with 2–3 tablespoons of mayonnaise and season with salt and pepper and set aside.

Arrange the thinly sliced cucumber onto a serving plate and top with slices of sushi salmon or smoked salmon. Spoon the sauce in a circle over the salmon. Garnish with a little more dill and then serve with the mayonnaise on the side or drizzled over the top.

Enjoy.

Serves 1.2

Sauce ingredients

1 shallot

1 tbsp of capers, finely chopped

3 sprigs of dill (+ extra for garnish)

1 tbsp of chives, chopped

1 tbsp of Worcester sauce

1 tbsp of lemon juice

4 tbsp of good quality olive oil

1 tbsp of horseradish sauce or wasabi

2–3 tbsp of mayonnaise

Salt & pepper

Sushi grade salmon/smoked salmon

Cucumber, thinly sliced

Proffiterols

Cynheswch y ffwrn i 200°C Ffan.

Rhowch sosban fach ar y gwres gyda'r dŵr a'r menyn a'u toddi nhw gyda'i gilydd. Yn y cyfamser, hidlwch y fflŵr gyda'r halen a phan mae'r menyn a'r dŵr wedi dod i'r berw, ychwanegwch y fflŵr a chymysgu'n dda nes bod y fflŵr sych wedi diflannu. Diffoddwch y gwres.

Gadewch iddo oeri ar y gwres am 3 munud tra eich bod yn torri'r wyau i mewn i bowlen. Curwch yr wyau ac ychwanegu eu hanner at y gymysgedd fflŵr, gan eu cymysgu'n egnïol i mewn i'r toes. Bydd y gymysgedd yn gwahanu i ddechrau ond yna fe fydd yn dod at ei gilydd. Ychwanegwch ail hanner yr wyau ac ailadrodd y broses nes bod 'da chi does gludiog.

Rhowch y gymysgedd mewn bag peipio. Does dim rhaid defnyddio *nozzle* – fe allwch chi dorri pig y bag i ffwrdd a gadael agoriad bach, neu ddefnyddio *nozzle* crwn. Peipiwch y gymysgedd ar dun pobi wedi ei leinio (os nad oed papur gwrthsaim gyda chi, irwch y tun gyda menyn ac ychydig o fflŵr).

Peipiwch beli bychain gan adael lle rhwng y naill a'r llall. Pan fydd y gymysgedd wedi gorffen, rhowch eich bys mewn ychydig o ddŵr a gwasgu'r peli yn ysgafn i fflatio'r topiau. Brwsiwch y toes gyda'r wy wedi'i guro a'i roi yn y ffwrn ar 200°C am 10 munud. Yna gadewch i'r gwres oeri i 170°C a phobi am 20 munud arall. Gadewch iddo oeri'n llwyr.

Ar gyfer y llenwad, defnyddiwch 2 fowlen ganolig eu maint. Arllwyswch yr hufen dwbwl i un fowlen a'i chwisgio gyda chwisg llaw nes bod yr hufen bron â ffurfio pigau stiff. Rhowch hanner yr hufen yn yr ail fowlen. Ychwanegwch y siwgr eisin a'r fanila i un fowlen a'i chwisgio nes ei fod yn stiff. Ychwanegwch y menyn cnau siocled i'r ail fowlen a'i gymysgu gyda'r hufen.

Llenwch 2 fag peipio (gyda *nozzles*) a chan wasgu'n gadarn, llenwch bob proffiterol nes eich bod yn meddwl eu bod yn llawn, gan fynd yn ôl ac ymlaen rhwng y ddau hufen. Toddwch y siocled gwyn trwy ei roi yn y meicrodon mewn bowlen addas am 20 eiliad ar y tro, gan ei droi ar ôl pob 20 eiliad nes ei fod wedi toddi. Fe allwch chi ddefnyddio'r un dull gyda'r siocled llaeth/tywyll neu ei gynhesu mewn sosban dros wres isel.

Dipiwch y proffiterol mewn siocled, yn ôl eich dewis chi, ond mae'r siocled gwyn a hufen fanila yn mynd yn dda gyda'r siocled gwyn ar ben y proffiterols a'r hufen Nutella yn mynd yn dda gyda'r siocled llaeth/tywyll.

Addurnwch gyda *sprinkles* os y'ch chi'n dymuno.

Digon i 8

150ml o ddŵr
50g o fenyn
75g o fflŵr plaen
Pinsiad da o halen
2 wy
1 wy ar gyfer brwsio
600ml o hufen dwbwl
3 llwy fwrdd o siwgr eisin
1 llwy fwrdd o bast ffa fanila
2 lwy fwrdd o fenyn cnau siocled
100g o siocled gwyn
100g o siocled llaeth/tywyll (60+)
Sprinkles (opsiynol)

Profiteroles

Serves 8

150ml of water

50g of butter

75g of plain flour

A good pinch of salt

2 eggs

1 egg for egg wash

600ml of double cream

3 tbsp of icing sugar

1 tbsp of vanilla bean paste

2 tbsp of chocolate hazelnut spread

100g of white chocolate

100g of milk/dark chocolate (60+)

Sprinkles (optional)

Preheat oven to 200°C Fan.

Pop a small saucepan on the hob with the water and butter and melt together. Meanwhile, sift the flour with the salt and when the butter and water have just reached boiling point, pop in the flour and mix well until mixed in and there are no visible dry flour bits. Turn off the heat.

Allow to cool off the heat for 3 minutes while you crack the eggs into a bowl. Whisk them up and then add half to the flour mix, basting vigorously into the dough. The mixture will separate at first but then it comes together. Add the other half and repeat the process until you have a sticky dough.

Pop this into a piping bag. You don't have to use a nozzle – just snip the end off to leave a small opening, otherwise use a round nozzle. Pipe onto a well-lined baking tray (if you don't have baking paper, butter then dust your baking tray with flour).

Pipe small balls spaced slightly apart from each other. When all the mixture has gone, pop your finger in a little water and dab the tops to flatten down any tips. Egg-wash all the dough and put into the oven at 200°C for 10 minutes. Then drop the temperature down to 170°C and bake for a further 20 minutes. Leave to cool completely.

For the filling take 2 medium-sized bowls. In one bowl pour all the double cream and whisk with a hand whisk until the cream forms almost stiff peaks. Then separate half the whisked cream from the other half using the two bowls. Add the icing sugar and vanilla to one half and whisk until nice and firm. In the other bowl, with the other half of the whipped cream, add the chocolate hazelnut spread.

Fill 2 piping bags with nozzles and with firm pressure fill each profiterole until you feel it is full, alternating between the two creams. Melt the white chocolate by putting it in a microwaveable bowl for 20 seconds at a time, stirring after each 20 second stint until it's melted nicely. You can use the same method with the milk/ dark chocolate or heat in a pan over a low heat.

Dip the profiteroles into the chocolate, alternating as you like, but the white chocolate vanilla cream goes well with the white chocolate and the Nutella cream goes very nicely with the milk or dark chocolate topping

Decorate with sprinkles if you like.

Teisen gaws meringue lemwn

Digon i 8

¾ pecyn neu 280g o fisgedi *digestive*

180g o fenyn wedi toddi

600g o gaws hufennog braster uchel

200g o siwgr mân

4 wy

2 lwy fwrdd o fflŵr plaen

Croen 1 lemwn mawr

1 llwy fwrdd o bast ffa fanila

2 lwy fwrdd o iogwrt Groegaidd neu hufen sur

Meringue

230g o siwgr

3 llwy fwrdd o ddŵr

90g o wynnwy (gwyn 3 wy)

1 llwy de o bast ffa fanila

Malwch y bisgedi un ai mewn prosesydd bwyd da neu trwy falu yr yffarn mas ohonyn nhw gyda bag a phìn rholio.

Yna cymysgwch nhw gyda'r menyn mewn bowlen. Gwasgwch y gymysgedd i mewn i dun cacen gan ddefnyddio eich migyrnau i fynd i mewn i'r ymylon, nes bod y bisgedi yn dod hanner ffordd lan ochrau'r tun. Rhowch e yn yr oergell a chynhesu'r ffwrn i 150°C Ffan. Rhowch dun pobi/rhostio yn y ffwrn i gynhesu.

Mewn bowlen ar wahân, cymysgwch yr hufen sur a'r siwgr gan ddefnyddio chwisg llaw, yna ychwanegwch 2 wy ac 1 llwy fwrdd o fflŵr a chymysgu'n dda. Ychwanegwch y 2 wy sy'n weddill a llwyaid o fflŵr. Bydd hyn yn helpu i atal y gymysgedd rhag hollti. Ychwanegwch groen y lemwn, y fanila a'r iogwrt a chymysgu unwaith eto. Rhowch y gymysgedd ar ben y bisgedi yn y tun cacen a'i roi yn y ffwrn yn y tun pobi/rhostio. Llenwch y tun gyda dŵr twym nes ei fod yn dod hanner ffordd lan yr ymyl. Gadewch i'r deisen bobi am 1 awr, yna edrychwch i weld a yw'r canol yn siglo ychydig. Fe ddylech chi anelu at gael sigliad cadarn yng nghanol y deisen gaws. Yna gadewch iddi oeri yn gyfan gwbl tu allan i'r ffwrn. Unwaith y bydd wedi oeri rhowch y deisen yn yr oergell dros nos neu am o leiaf 8 awr.

Pan fydd y deisen gaws wedi setio rhowch y siwgr a'r dŵr mewn sosban. Fe fydd angen thermomedr siwgr arnoch chi. Rhowch e ar wres canolig/uchel.

Mewn bowlen gymysgu ar wahân, curwch yr wyau yn galed nes eu bod yn olau ac yn ysgafn. Pan fydd y gymysgedd siwgr/dŵr yn cyrraedd 121 gradd, ewch ati i'w harllwys yn araf ac yn ofalus i mewn i'r wyau tra bod y cymysgydd yn dal i droi. Fe ddylech chi geisio cael y syrop siwgr i fynd i lawr yr ochr yn araf ond yn gymesur (peidiwch â tharo'r chwisg neu bydd y siwgr yn tasgu ar hyd y fowlen yn lle gorchuddio'r wyau a chreu *meringue*).

Unwaith y bydd y syrop siwgr wedi mynd i gyd, ychwanegwch y past ffa fanila a churo nes bod y fowlen yn oeri a'r wyau yn sgleinio.

Rhowch y gymysgedd ar y deisen gaws fesul llwyaid a chreu sawl pig uchel. Joiwch gyda'r tortsh chwythu nes bod y *meringue* yn frown ac yn euraidd.

Torrwch y deisen a mwynhewch.

Lemon meringue cheesecake

Crunch up your biscuits either using a good processor or by bashing the hell out of them in a bag with a rolling pin.

Then mix in a bowl with the butter. Press into the cake tin using your knuckles to get right into the edges and allowing the biscuits to come half way up the sides. Pop in the fridge and heat the oven to 150°C Fan. Place a deep baking/roasting tin inside to heat up.

In a separate bowl, mix together the cream cheese and sugar using a hand whisk and add 2 eggs and 1 tablespoon of flour and mix well, then add the remaining 2 eggs and a tablespoon of flour. This helps ensure it doesn't split. Add in the zest, vanilla and yogurt and give it a final mix. Pour into the biscuit-lined cake tin and place in the oven inside the baking/roasting tray. Fill the tray with warm water until it comes half way up your tin. Allow to bake for 1 hour and then check to see if the centre wobbles. We are looking for a firm wobble right in the middle of the cheesecake. Then allow this to cool fully outside the oven. When cool leave in the fridge overnight or for at least 8 hours.

When the cheesecake is set nicely get the sugar and water on the hob. You will need a sugar thermometer for this bit. Put on a medium/high heat.

In a free-standing mixer, beat the egg whites on high so they fluff up nicely. When the sugar/water mix reaches 121 degrees, gently and slowly pour into the egg whites while the mixer is whipping them up. The sugar syrup needs to go in at a slow, steady stream down the side (try not to hit the whisk as this will spray the sugar around the bowl instead of coating the egg whites and making meringue).

When all the sugar syrup has gone, pour in some vanilla bean paste and beat until the mixing bowl is cool and the egg whites are nice and glossy.

Dollop onto your cheesecake leaving nice high peaks, and then have fun blowtorching the meringue until it's nice and toasty and golden.

Slice and enjoy.

Serves 8

¾ of a pack or 280g of digestive biscuits

180g of melted butter

600g of full fat cream cheese

200g of caster sugar

4 eggs

2 tbsp of plain flour

Zest of 1 large lemon

1 tbsp of vanilla bean paste

2 tbsp of Greek yogurt or sour cream

Meringue

230g of sugar

3 tbsp of water

90g of egg whites (whites of 3 eggs)

1 tbsp of vanilla bean paste

Bywyd a bwyd!

Enjoying life through food!